Bon voyage à
bord du Grand,
Centaure avec
Storine et Griffo,
Amicalement,
Fredrick

Nous remercions le ministère du Patrimoine canadien,
la SODEC et le Conseil des Arts du Canada
de l'aide accordée à notre programme de publication

Patrimoine canadien Canadian Heritage

Le Conseil des Arts du Canada depuis 1957 | The Canada Council for the Arts since 1957

ainsi que le Gouvernement du Québec
– Programme de crédit d'impôt
pour l'édition de livres
– Gestion SODEC.

Logo de la collection:
Sv Bell

Illustration de la couverture:
Guy England

Édition électronique:
Infographie DN

Dépôt légal: 3e trimestre 2002
Bibliothèque nationale du Canada
Bibliothèque nationale du Québec

23456789 IML 09876543

ISBN-2-89051-818-3
11048

STORINE, L'ORPHELINE DES ÉTOILES

VOLUME 1

Le lion blanc

Données de catalogage avant publication (Canada)

D'Anterny, Fredrick, 1967-

Le lion blanc

(Collection Chacal ; 17)
(Storine, l'orpheline des étoiles ; v. 1)
Pour les jeunes de 12 ans et plus.

ISBN 2-89051-818-3

I. Titre II. Collection III. Collection : D'Anterny, Fredrick, 1967. Storine, l'orpheline des étoiles ; v. 1

PS8557.A576L56 2002 jC843'.54 C2002-941253-6
PS9557.A576L56 2002
PZ23.D36Li 2002

STORINE, L'ORPHELINE DES ÉTOILES

VOLUME 1
Le lion blanc

Fredrick D'Anterny

roman

ÉDITIONS
PIERRE TISSEYRE

5757, rue Cypihot, Saint-Laurent (Québec) H4S 1R3
Téléphone: (514) 334-2690 – Télécopieur: (514) 334-8395
Courriel: ed.tisseyre@erpi.com

Remerciements:

À William, mon frère, qui entend parler de Storine et de son univers depuis seize ans.

À Marc Fisher, pour ses précieux conseils et son soutien amical.

À Dominique Blondeau, pour son œil avisé.

À Anael, ainsi qu'à l'Artiste Bradfield.

À George et à André.

Enfin, à Angèle Delaunois, mon éditrice, qui a su aimer Storine comme une seconde fille.

À tous, merci.

Fredrick D'Anterny

À mon frère William
et à Frédérike Parenteau,
les premiers jeunes lecteurs
de Storine

1

L'enfant lion

Planète Ectaïr, province de Ganaë.

La grande lionne blanche guettait l'enfant. Cela faisait plusieurs minutes qu'elle avait repéré son odeur si caractéristique de lait, de sucre et d'herbes fraîches. Le fauve, en embuscade dans le sous-bois, flaira le vent chaud et humide. Ses puissantes griffes labourèrent le sol ; d'autres odeurs se mélangeaient à la première. Des odeurs de haine. Ses longs yeux rouges se plissèrent de dégoût. Non loin, dans une clairière obscurcie par les hautes frondaisons, l'enfant venait…

«Je les déteste !» s'exclama Storine, les poings sur les tempes, en courant le long du sentier qui serpentait sous les grands arbres noirs.

Son école, dont elle avait dû s'enfuir en passant par les toits, disparaissait sous l'aveuglante lumière écarlate de Myrta, le soleil rouge d'Ectaïr. À cette heure du jour, la chaleur était si pesante que la fillette sentait battre son cœur à grands coups. Était-ce dû à l'effort, à la rage ou au chagrin ?

En entendant les cris de ses poursuivants, elle se mordit les lèvres, fit volte-face et, mains tendues en avant, leur cria d'une voix rendue rauque par la colère :

— N'approchez pas !

Une dizaine d'élèves de sa classe, garçons et filles, s'arrêtèrent à dix pas, les joues moites de sueur. Un instant, ils considérèrent leur souffre-douleur : sa silhouette maigrichonne dans une robe beige salie, ses cheveux orange toujours mal coiffés, ses étranges yeux verts qui pouvaient virer au noir selon son humeur.

Autour d'eux tourbillonnait le vent brûlant. Sans quitter ses bourreaux du regard, Storine souffla sur une longue mèche qui lui barrait le front. Une violente bourrasque secoua les hautes frondaisons. Quand ses compagnons de classe éclatèrent de rire, elle crut que leur méchanceté s'arrêterait là.

La première pierre l'atteignit sous l'œil gauche. Saisie de surprise plus que de douleur,

elle laissa le mince filet de sang lui couler jusqu'à la bouche. Les enfants, eux-mêmes étonnés par la violence de l'attaque, hésitèrent un instant.

— Sale sorcière ! lui jeta son agresseur qui cherchait déjà un autre caillou.

— Sorcière ! reprirent en chœur trois autres enfants, dont une fille que Storine croyait son amie.

— Bouffeuse de viande froide ! éructa un autre garçon.

Mais Storine n'avait jamais vraiment eu d'amis dans cette école où tout le monde, élèves et enseignants compris, la considérait comme une fille sauvage et sans éducation.

Dans le ciel écarlate, un amoncellement de nuages déchirés par les vents s'étiola en longues banderolles sanguinolantes. Un son métallique agita les feuilles argentées des bosquets alentour.

— Attrapez-la avant qu'elle s'échappe ! ordonna le garçon qui avait lancé la première pierre.

La lionne glissait sans bruit parmi les hautes herbes. Le vent était son ami. Personne ne pourrait la sentir, sauf l'enfant. Elle espérait ne pas être grondée, car elle le savait, elle était en territoire interdit. Dans son esprit, elle percevait un battement de cœur affolé : celui, triste et en colère, de l'enfant. Ses pupilles incandescentes brillèrent d'un feu plus doux. Le bas de sa gueule se détendit, révélant une rangée de crocs teintés de sang. On aurait dit qu'elle souriait.

Voyant se refermer sur elle le cercle de ses poursuivants, Storine chercha du coin de l'œil un morceau de bois dont elle espérait ne pas avoir à se servir. En classe, toute la journée, elle avait été la cible de leurs moqueries. Il y avait eu un cours de dessin libre où elle avait griffonné une grande lionne blanche. Perfidement, son institutrice avait montré son dessin à toute la classe. « Pourquoi sont-ils si méchants avec moi ? Pourquoi ? » se demanda-t-elle tout en avisant, sur sa droite, une longue branche hérissée d'épines.

— Attention, elle s'échappe !

Maintenant toute proche de l'endroit où s'agitaient les enfants, la grande lionne se tapit pour mieux observer. Décidément, les cris et les odeurs de ces petits humains lui faisaient dresser le poil sur l'échine. Comment serait-elle accueillie ?

Storine trébucha. Un des garçons la plaqua au sol, empoigna ses cheveux et lui maintint le visage contre terre. Dans un mouvement qui lui arracha un cri de douleur, elle tenta de saisir la branche. Un pied lui écrasa les doigts, deux paires de bras la retournèrent et la jetèrent sur le dos. Dans les mains des enfants, elle vit les seaux…

— Ce sont les restes du déjeuner des chiens, expliqua le premier garçon.

Le visage douloureux et les yeux injectés de sang, Storine ignorait pourquoi ceux de sa propre race la détestaient autant. Elle aurait bien voulu le leur demander, mais cela aurait été s'abaisser, s'humilier ; ce qu'elle refusait de faire malgré ses onze ans.

— De la viande crue de gronovore mélangée à de la bouillie de rats, continua le garçon.

— Mais avant, tiens, mange ça !

Dans un mouchoir humide grouillaient une douzaine de vers jaunes et noirs. On le lui mit sous le nez. Comme elle se reculait, les enfants lui ouvrirent la bouche de force, puis, tout en lui maintenant solidement les bras dans le dos, lui écrasèrent le chiffon sur le visage.

Dans sa tête, la lionne ne supportait plus les battements affolés du cœur de l'enfant.

Elle jaillit des taillis et poussa un rugissement de fureur qui explosa comme un coup de tonnerre.

Dans la haute ionosphère, un léger roulis berçait les passagers en transit pour la planète Ectaïr. La petite navette de transport quitta le dernier relais et se mit doucement en position d'approche.

Assis dans les dernières rangées de l'appareil, le commandor Sériac Antigor, le nez baissé sur son écran à cristaux liquides, lisait attentivement un rapport secret. Son expérience lui avait appris à se méfier des foules, des endroits trop éclairés et de ces machines à visage humain que l'on appelait des androïdes. Aussi, quand la jeune femme synthétique s'approcha de lui, son premier réflexe fut de l'écarter brutalement. *In extremis,* se rappelant que pour le bien de sa mission il devait demeurer discret, il esquissa un sourire forcé. Dépourvue d'émotions complexes, l'androïde s'excusa et lui prit poliment le plateau-repas des mains.

Malgré leur fatigue, les trois cents passagers étaient tout excités à la perspective de

se poser enfin sur cette petite planète touristique autour de laquelle flottait un gigantesque voile de brume artificiel.

Insensible à la beauté de ce spectacle, le commandor était vêtu d'un costume civil noir impeccable, d'une longue cape taupe doublée de velours brun, de bottes et de gants de cuir assortis. Ses cheveux de jais, coupés en brosse, assombrissaient son visage basané. Âgé de trente-cinq ans, mince mais d'une solide constitution, il possédait une forte personnalité qui impressionnait souvent ses interlocuteurs. Par contre, ce magnétisme le gênait lorsqu'il tenait à passer inaperçu, comme en ce moment.

Après avoir jeté un regard méfiant autour de lui, il revint à son écran. De la dimension d'un livre, l'instrument était muni de deux plaques, chacune de la taille d'une page. En homme intelligent, le commandor aimait « connaître la nature du terrain », comme il disait.

Le système planétaire de Branaor était situé à la périphérie de l'empire d'Ésotéria et de ce que les indigènes appelaient le « grand néant »: un vaste périmètre intersidéral de plus de cinq mille années-lumière. Deuxième planète à partir de Myrta, son étoile rouge,

Ectaïr était le fruit d'une longue et périlleuse expérience scientifique. Grâce à la protection de sa ceinture antiradiation, l'écosystème de la planète s'était, au cours des siècles, profondément modifié, transformant en éden ce monde à l'origine impropre à l'implantation de la vie.

Ectaïr faisait l'objet de soins très particuliers. Les cités y étaient peu nombreuses et, contrairement à ce que l'on pouvait croire, la population humaine ne dépassait pas les trente millions d'individus. Le gouverneur d'Ectaïr, qui dépendait directement du pouvoir central d'Ésotéria, avait pour mission d'y maintenir intactes ses deux vocations premières : l'exportation d'oxygène pur et la conservation, à l'état quasi sauvage, d'une des dernières communautés de lions blancs de l'empire.

Le commandor leva la tête et fixa l'atmosphère gazeuse, rouge, blanc et veinée de pourpre, toujours en mouvement, qui protégeait cette petite planète ridicule :

« Ainsi donc, se dit-il, voilà où se termine ma quête... »

À l'instant où la navette s'engageait dans le corridor d'accès à destination du spatioport

de Briana, la capitale d'Ectaïr, le commandor Sériac referma son lecteur. La prétention, grotesque d'après lui, de cette planète qui s'entêtait à protéger les lions blancs, doublée de sa pathétique fragilité écologique, le fit sourire. Sous ses sourcils broussailleux, ses yeux noirs brillaient d'excitation. Il éteignit son écran, prit un long et fin cigare ambré… puis il suspendit son geste, agacé. Pour d'évidentes raisons de sécurité, fumer était défendu.

Autour de lui, les passagers s'agitaient. Surtout les enfants. La joie de voir les célèbres lions blancs se lisait sur leurs visages. Pour eux, Ectaïr n'était qu'une immense savanne pleuplée des plus nobles créatures de l'espace. Pour le commandor, cette planète représentait l'aboutissement de neuf années de recherches et de frustrations. Le rapport secret qu'on lui avait fourni ne laissait à ce sujet aucun doute possible.

Dans quelques minutes, il franchirait les grilles du spatioport. Ses faux papiers étaient au-dessus de tout soupçon. À Briana, il prendrait discrètement place à bord d'un transporteur terrien public. De là, il suivrait la route du sud jusqu'à la province de Ganaë où se trouvait le plus grand des douze parcs abritant des lions blancs.

Il songea à Corvéus, son second. « J'espère que tout sera prêt dès mon arrivée. » Il devait également payer l'auteure du rapport qu'il tenait entre ses mains. Que cherchait-elle ? Que voulait-elle de lui ? En savait-elle déjà trop ? Son instinct lui conseillait la plus extrême prudence.

Lorsque la navette fut prise en guidage automatique par la tour de contrôle, Sériac sentit son estomac se nouer d'émotion. En sortant du spatioport, il étouffa un juron. Au milieu des touristes bruyants, il était le seul à être entièrement vêtu de sombre.

« Peu importe, songea-t-il. Je touche enfin au but ! »

Plus tard, les enfants racontèrent la scène à leurs parents, qui allèrent se plaindre aux autorités. Comment une lionne avait-elle pu s'échapper du parc dont les hautes clôtures de protection, réputées infranchissables, avaient coûté des sommes folles à la communauté ?

Pour l'instant, après avoir eu la peur de leur vie, les gamins prirent leurs jambes à

leur cou et s'enfuirent en abandonnant leur victime aux griffes du fauve. Mais ils le savaient, ce n'était pas un vrai abandon. Très vite, la curiosité l'emporta sur la frayeur et ils s'arrêtèrent de courir. Essoufflés, leur mine de conspirateurs plus dédaigneuse que jamais, ils attendirent…

Storine crachait, toussait, pestait, les doigts enfoncés dans la gorge pour essayer de se faire vomir. Elle se sentait vraiment sale, et laide, et malheureuse. La grande lionne blanche fit un pas, deux pas… Enfin, en deux bonds, la gueule grande ouverte, elle fondit sur l'enfant.

Prise au dépourvue, Storine roula dans l'herbe avec le fauve, puis elle prit une grande goulée d'air avant d'éclater de rire :

— Croa ! Croa ! arrête, tu vas m'étouffer !

L'énorme lionne ne cessait de lécher le visage de celle qu'elle considérait à la fois comme sa mère, sa sœur et sa fille. Elle voulait tant se faire pardonner d'avoir franchi la frontière sans permission qu'elle émit de légers couinements tout en essayant, comme elle le faisait lorsqu'elle était lioncelle, de frotter son museau froid contre le cou de l'enfant.

La fillette la repoussa fermement :

— Assez, Croa !

C'est alors que Storine se rappela où elle était et ce qui venait de se passer. Elle se remit péniblement sur pied, donna une tape sur la croupe de la lionne et, s'accrochant à son encolure, se hissa sur son échine. Aussitôt, elle enfouit ses doigts dans les muscles noueux. Croa entendit la pensée de sa jeune maîtresse, fit volte-face, se dressa de toute la hauteur de son mètre quatre-vingts, puis poussa un second rugissement, encore plus terrible que le premier. Les enfants détalèrent sans demander leur reste.

Le cou tendu au-dessus de l'énorme tête blanche, Storine les regarda se bousculer les uns les autres, tomber, se relever en hurlant de peur et disparaître dans la lumière aveuglante de Myrta.

— La prochaine fois, Croa, tu les…

Mais elle se tut. Ses yeux, très verts l'instant d'avant, s'assombrirent peu à peu. Pourtant, elle voulait rire, surtout pour ne pas pleurer. Finalement, elle donna un coup de talon dans les reins du fauve qui partit au galop dans les hautes herbes rousses.

2

D'étranges personnages

Le commandor Sériac arriva à la tombée du jour dans la petite cité de Fendora, située à la frontière ouest du grand parc impérial. Afin de garder son précieux anonymat, il loua une luxueuse chambre d'hôtel en utilisant une de ses nombreuses identités. Puis il se rendit dans la haute ville. De vieux remparts se dressaient encore, vestiges de l'époque de la colonisation. En basculant doucement par-dessus les montagnes, Myrta, le soleil rouge, inondait les rues et les toits d'une épaisse lumière écarlate.

Le commandor fut surpris par l'aspect repoussant du lieu de rendez-vous choisi par sa complice. Il s'agissait d'une de ces gargotes que l'on trouvait sur toutes les planètes de

l'empire : un lieu de rencontre idéal pour tous ceux qui cherchaient à échapper aux autorités. Il en fit le tour afin de repérer les différentes issues et décida qu'après tout la femme avait choisi ce lieu avec discernement. Comme il était impératif que personne ne puisse découvrir en quoi consistait sa mission, l'endroit était tout à fait approprié. Nul ne pourrait imaginer qu'un officier supérieur de l'armée impériale puisse jamais entrer dans un restaurant pareil !

La foule avinée, la chaleur pesante, la sueur rance et les accents cacophoniques d'une douzaine de langues différentes prirent un instant le commandor au dépourvu. Mais Sériac était partout chez lui dans l'empire. Il trouva aisément son chemin jusqu'au comptoir et reconnut son contact grâce aux couleurs provocantes de l'étoffe qui cachait sa calvitie. Le barman, lourd de corps et borgne de surcroît, arborait sur son avant-bras le tatouage des cornes du *Grand Centaure*, le vaisseau spatial de Marsor, le plus recherché de tous les pirates de l'empire.

— Un Aïlolla sur glace, agité, commanda-t-il en songeant combien il était dangereux d'arborer pareil symbole, même sur une planète aussi éloignée.

Il déposa sur le comptoir du bar une petite mallette de cuir noir. Le bref regard que lança le borgne derrière l'épaule du commandor suffit à le trahir.

« Elle est dans la salle », se dit Sériac en souriant légèrement. À l'instant où le borgne ouvrait la mallette pour inspecter les fines lamelles d'argon pur, le commandor pressa un dispositif à puce dans la poche de son manteau. Puis il se mit à siroter son alcool à petites gorgées. Cette femme, qu'il avait engagée pour cette unique enquête, risquait fort de vouloir en apprendre davantage. Auquel cas, il avait bien fait de prendre certaines précautions…

Le borgne sourit. Sa bouche édentée n'impressionna guère le commandor qui sentait le poids rassurant de son sabrolaser contre sa cuisse. Il prit son verre et gagna une table d'angle. En cas de danger, il pourrait facilement soutenir un échange de feu de cet endroit. Il y avait bien quelques femmes dans la foule, mais aucune ne correspondait au profil de son enquêtrice anonyme.

Sériac dévissa discrètement le pied métallique de son verre et en retira une puce informatique qu'il glissa aussitôt dans son lecteur à cristaux liquides. Dans la fumée ambiante,

une forte odeur d'épices et de cuir de gaurok chatouilla ses narines ; il eut un sourire carnassier. S'il se passait quelque chose, il ne serait pas seul. Puis il ouvrit le document qu'il venait de s'acheter. Une photo tridimensionnelle apparut en introduction : celle d'une fillette au regard perçant. Dessous, une phrase :

« Elle s'appelle Storine… »

Le commandor lut le texte du rapport en quelques minutes, sans un clignement de paupière. Quant il eut terminé, il se leva et se dirigea vers la sortie. Deux hommes tentèrent de lui barrer le passage. Dans la foule bigarrée, personne ne se rendit compte de grand-chose quand Corvéus, le géant à tout faire du commandor, leur brisa la nuque. Sériac remarqua l'effroi sur le visage d'une femme (son enquêtrice, sûrement). Sorti de la gargotte, il rit en songeant à la petite surprise qui attendait cette femme. Quand elle ouvrirait sa mallette pleine de fausses lamelles d'argon, un gaz amémorisant lui ôterait tout souvenir de sa dernière enquête !

Restait l'enfant. Et quelle enfant !

Storine s'engagea dans un canyon reculé qui longeait, en amont de la petite cité de

Fendora, le tracé du parc. Le matin même, son grand-père l'avait sermonée :

— Sto, il ne faut pas que les gens de l'extérieur du parc te voient avec les lions, lui avait-il dit de sa voix douce et posée. L'homme est une créature compliquée, sauvage, plus cruelle que bien des animaux qui peuplent l'espace. Promets-moi de me montrer le passage secret par lequel tes amis sortent du parc. Je préviendrai les autorités afin qu'on le condamne. Des accidents pourraient arriver, tu comprends, et nous en serions tenus pour responsables.

Storine adorait son grand-père. Alors, elle avait promis. Mais pour plus tard. Elle n'avait rien dit de ce qui s'était passé dans la clairière. C'était trop douloureux d'en parler. Cependant, dans son esprit, tout était clair : elle n'irait plus en classe. Jamais.

Certaine de ne pas revenir sur sa décision, elle s'engouffra dans un fouillis de ronces acérées, de minuscules plantes carnivores et de roches, derrière lequel s'ouvrait la gueule béante d'une caverne. Storine s'y glissa sans la moindre hésitation.

Elle connaissait bien les sentiers noirs et froids reliant entre elles les nombreuses

chambres souterraines. L'un d'entre eux conduisait au petit goulot humide qui réunissait, à plus de cent mètres sous les immenses miradors électroniques de sécurité, le territoire des fauves et celui des hommes.

À l'intérieur du parc, l'ombre épaisse des frondaisons rendait la chaleur plus supportable. Tous les sens en éveil, la fillette inspira profondément, ferma les yeux et sentit le vent. Quelques effluves, seulement, lui parvinrent. D'infimes informations qu'au fil des années elle avait appris à déchiffrer. Sa robe de toile beige, nouée hâtivement par une ceinture de cuir, grattait sa peau blanche extrêmement sensible. Elle s'en moqua autant que de ses multiples écorchures aux bras et aux jambes.

Fixé à son avant-bras, son communicateur personnel, pourtant branché, restait silencieux. Au moins ses grands-parents ne s'inquiétaient pas. Storine se sentait plutôt mal de leur avoir menti. Mais lorsqu'elle s'aventurait seule dans le parc, elle détestait être dérangée.

Elle suivit le cours sinueux d'une rivière dont les eaux grondantes se pressaient vers les rapides. Toujours attentive au moindre bruit, à la moindre odeur, la fillette se faufilait habilement entre les épineux géants.

L'heure était à la sieste. Les animaux ne partiraient en chasse qu'à la nuit tombée.

De cela aussi, Storine se moquait. Si elle restait prudente, ce n'était pas qu'elle craignait pour sa vie, mais uniquement par respect pour les bêtes. Elle avait appris depuis longtemps que les lions blancs ne pouvaient lui faire aucun mal. C'était chez elle une certitude absolue.

La rivière se jetait dans le vide en une cascade vertigineuse mêlée de roches saillantes et d'embruns. Storine descendit prudemment la falaise jusqu'à une succession de petits étangs encerclés de joncs, de plantes aquatiques et d'arbres biscornus chargés de fruits mauves à la pulpe acide mais très rafraîchissants. Elle en cueillit plusieurs, chacun de la grosseur d'un œuf, et croqua dedans avec appétit.

Parvenue à la berge de son étang favori, elle se déshabilla entièrement. Son corps maigre, ses épaules saillantes et son épaisse chevelure orange contrastaient avec le vert tendre de la végétation. Elle laissa un instant les embruns de la cascade caresser son corps, puis soupira de bonheur. Enfin, abandonnant sa robe dans l'herbe, elle plongea et se mit à nager à perdre haleine.

Il ne se passa que quelques minutes avant que surgisse à côté d'elle une espèce d'énorme chat blanc aux oreilles pendantes. Storine ne fut pas surprise. Au contraire ! S'il n'était pas venu, elle se serait sentie trahie. Mais jamais le lionceau n'avait manqué un seul de leurs rendez-vous. Elle s'accrocha à son cou et se laissa flotter un instant pour reprendre son souffle.

— Griffo ! mon petit Griffo, ma merveilleuse peluche blanche ! Tu sais que je t'aime, toi ! s'exclama-t-elle.

Le poil gonflé d'eau, l'animal lui donna un joyeux coup de langue sur le visage. Tandis qu'elle regagnait la berge, Storine le laissa prendre de l'avance pour qu'il s'ébroue, mais très vite, il revint à l'assaut pour lui donner d'affectueux coups de langue. Les yeux rouges du lionceau étaient très expressifs. Ses pattes, déjà énormes.

Storine et lui formaient une paire d'amis inséparables. C'était chez la fillette une autre de ses mystérieuses certitudes. Son grand-père lui avait raconté une belle histoire : « Quand tu étais toute petite, ta grand-mère et moi avons eu la peur de notre vie. Un après-midi, alors que tu dormais dans ton berceau sur notre véranda, une lionne immense a

surgi des taillis et t'a enlevée dans sa gueule. J'étais directeur du parc à cette époque. J'ai mobilisé tous mes hommes pour te retrouver. La bête t'avait emportée dans la tannière de son clan. Même armés, nous n'osions pas approcher. La grande lionne t'a gardée près d'elle plusieurs jours, te nourrissant de son lait. Puis le clan est reparti suivre les grands troupeaux. Après leur départ, nous avons enfin pu te récupérer, indemne et souriante. J'ai toujours su, mon enfant, que tu étais différente des autres et que tu ne finirais pas tes jours sur cette planète éloignée de tout.. »

Storine aimait beaucoup cette histoire. Leur maison étant située à l'intérieur du périmètre de sécurité, Storine avait grandi avec les fauves. Sa grand-mère ne comprenait pas pourquoi la fillette était si attirée par eux.

« Je leur parle, lui disait l'enfant, et ils me répondent. » Storine n'était pas encore suffisamment instruite pour expliquer que ce langage était davantage tissé de pensées que d'une forme cohérente de dialogues. Elle se contentait de dire à qui voulait l'entendre que les lions blancs étaient très intelligents. Ce que les savants impériaux reconnaissaient volontiers tout en ajoutant que ces bêtes-là, si elles

étaient sacrées, n'en étaient pas moins féroces et imprévisibles.

Soudain, le petit Griffo se mit à gronder en direction du centre de l'étang. Une main en visière sur le front, Storine huma l'air. Ils n'étaient plus seuls…

Le craquement sec d'une branche, suivi d'une brève exclamation et d'un grand plouf dans l'eau, fit rire la fillette. Elle s'assit dans les grandes herbes et retint le jeune lion.

Un homme d'environ vingt-cinq ans, mince comme un fil et roux de la tête aux pieds, refit surface, son livre à cristaux liquides à la main. Avant de rejoindre Storine sur la berge, il enfila son pantalon et sa chemise qu'il avait abandonnés sur un rocher. La petite ne pouvait pas s'arrêter de rire.

— Tu as le plus joli rire que j'ai jamais entendu, Storine !

— Santorin… Mais que fais-tu ici ?

Le jeune homme sourit en boutonnant sa chemise. Son épaule droite portait le sigle des gardiens du parc. Le microcommunicateur à son poignet était éteint, ce qui allait à l'encontre des règles de sécurité. Son paralysateur électrique, l'arme traditionnelle des agents, scintillait à sa ceinture sous la lumière aveuglante de l'étoile Myrta.

— En vérité, je méditais. Les yeux fermés, je t'ai vue te glisser entre les taillis, le long de la rivière, et je t'attendais, répondit-il en ramassant son livre électronique.

— Tu es drôle, Santorin.

Il s'assit à côté de la fillette. Sa main ne trembla pas quand il la posa sur le nez du lionceau.

— Ça te surprend, n'est-ce pas, que je puisse le caresser, moi aussi ?

Storine hocha la tête sans le quitter des yeux.

— Ça me fait plaisir que Griffo t'aime, répondit-elle.

Storine lui offrit un de ses petits fruits à peau mauve.

— Tu ne travailles donc jamais ?

— Jamais quand je peux te voir.

Comme il sentait la vive curiosité de l'enfant, Santorin, une lueur mystérieuse au fond des yeux, se réfugia dans l'humour. Il lui raconta quelques blagues et évita de lui demander pourquoi il la voyait souvent ici alors qu'elle était censée être à l'école.

— Nous faisons une sacrée paire, tous les deux, n'est-ce pas, Storine ?

La fillette se leva et enfila tranquillement sa robe de toile dont le tissu humide colla à son corps maigre. Santorin s'était pris d'affection pour cette enfant un peu sauvage, simple et si spontanée. La fillette se rassit sur le sol, entourant ses genoux de ses bras.

— Tu es contrariée, Storine ?

Sans répondre, elle repoussa d'un souffle ses mèches rebelles. Santorin n'ignorait pas les ragots qui couraient. Les gens se méfiaient de l'enfant, car elle avait été adoptée par les lions du parc. Le regard absent, la fillette tiraillait gentiment les pattes de Griffo.

— Tu veux que je te dise, c'est un don que tu as. Et ils en sont tous jaloux.

Il se rappela une vieille légende de son enfance : « Si une lionne blanche nourrit un homme du lait destiné à ses petits, c'est qu'elle le choisit entre tous pour lui transmettre d'étranges pouvoirs et le préparer à un fabuleux destin. »

Le jeune homme, qui savait comment Storine avait, toute petite, été enlevée et nourrie par une lionne, avait l'air perdu dans ses pensées.

— À quoi tu rêves, Santorin ? demanda Storine.

— Heu… à rien. Écoute plutôt.

Il alluma son écran et commença à lire. Des choses à propos des lions blancs, de leurs origines, du symbole qu'ils représentaient pour l'empire et pour la famille impériale d'Ésotéria, la lointaine planète-capitale. Il parla aussi du dieu Vinor, figure maîtresse de la mythologie impériale dont lui, Santorin, était un des prêtres missionnaires.

Storine n'écoutait que d'une oreille, distraite par les reflets bleutés que prenaient les rayons de Myrta dans les embruns de la cascade, par les sauts désordonnés de ces insectes inoffensifs avec lesquels Griffo s'amusait. Santorin termina sa lecture par ces mots qu'il jugeait sans doute très importants, car il les murmura en regardant Storine droit dans les yeux :

— Les écrits sacrés de l'empire mentionnent qu'en plus de douze mille huit cents ans, deux personnes seulement ont eu l'honneur d'être adoptées par le peuple des lions blancs. Storine, tu m'écoutes ? Il s'agit d'Érakos, le Grand Unificateur. Et, douze mille trois cents ans plus tard, d'Étyss Nostruss, le plus célèbre de nos prophètes. D'après les annales, c'est Étyss Nostrus qui amena sur Ectaïr la première famille de lions blancs. Dis, fillette, tu m'écoutes ?

Storine s'étira, s'allongea sur le dos, bras et jambes écartés, le souffle lourd :

— L'institutrice nous a raconté tout ça, ronchonna-t-elle d'une voix rauque. Et alors tous les élèves se sont tournés vers moi parce que je vis dans le parc. Quand je suis sortie de l'école, ils m'ont insultée, ils m'ont poursuivie, ils m'ont lancé des pierres, ils…

Le jeune homme caressa doucement les cheveux de la fillette. Il ne pouvait pas lui dire qu'il avait vu tout cela au cours d'une transe et que c'était son destin d'être en butte à la méchanceté. Elle ne l'aurait pas compris.

Peut-être même qu'elle aurait eu peur…

3

L'orage

Malgré les grandes vitres du bureau de la directrice de l'école, Santorin sentait le vent froid et humide. Sur Ectaïr, à cause de la protection atmosphérique artificielle, le climat était capricieux et les météorologues, malgré toute leur science, faisaient souvent office de devins. «Je ne veux pas être dehors quand cet orage va éclater, pensa le jeune garde. Pourtant je sais qu'il va se passer des choses graves cette nuit…»

— Mais enfin, dit l'homme en se plantant devant Storine, tu n'as pas honte! Tu ne te rends pas compte du danger auquel tu exposes tes petits camarades?

Sa voix fut couverte par un formidable roulement de tonnerre. Une symphonie d'éclairs projeta une lueur spectrale dans la

pièce sévèrement meublée. Puis la lumière vacilla, les plongeant tous dans la pénombre pendant une fraction de seconde.

La directrice, une femme lourde aux traits épais, respirait par saccades, mortellement embêtée par cette malheureuse affaire. Le président du comité des parents d'élèves reprit d'une voix menaçante :

— Ce n'est pas la première fois que des lions s'échappent du parc, hypnotisés par cette… sorcière ! De plus elle terrorise ses compagnons de classe. Certains parents m'ont dit que leurs enfants avaient été mordus par cette sauvage !

— Mesurez vos paroles ! rétorqua Santorin qui savait combien Storine, même si elle ne disait rien, souffrait de se trouver au centre d'une situation qui la dépassait.

— Vous êtes qui… monsieur ?

Santorin posa ses mains sur les épaules de la fillette.

— La grand-mère de Storine s'est blessée légèrement aujourd'hui. J'ai été désigné par son grand-père pour les représenter, elle et lui, et…

— Monsieur le président, coupa la directrice en désignant une troisième personne en uniforme, le haut conseil de sécurité…

— Je suis ici pour trouver une solution à ce problème, l'interrompit à son tour le soldat.

Puis il se tourna vers Storine.

— Fillette, l'affaire est grave. Le haut conseil ne peut pas charger un bataillon de soldats de protéger l'école en permanence. Il faut que tu nous indiques le passage qu'empruntent les fauves.

— Aimerais-tu voir un de tes petits camarades de classe dévoré par un lion blanc ? demanda la directrice d'une voix de fausset.

Storine souffla nerveusement sur la grande mèche orange qui lui barrait le front. Ses yeux verts s'assombrirent. Agacé par la mauvaise volonté évidente de la fillette, le président des parents d'élèves devint rouge de colère.

— Madame la directrice, devant tant de méchanceté, je demande le renvoi immédiat de cette gamine !

Pendant ce temps, dans la maison de Storine, son grand-père désinfectait patiemment la blessure de sa femme. Ils formaient un vieux couple uni par toute une vie d'amour et de travail. Petit, presque chétif, le grand-père possédait l'œil vif de ces intellectuels philosophes qui ont cru, un jour, en la bonté naturelle de l'homme. Son épouse, sa robe à fleurs dégrafée dans le dos, était allongée sur le ventre sur un des canapés du salon.

— Nous aurions dû y aller.

— Il ne fallait pas tomber sur des éclats de verre et te blesser l'épaule.

Il appliqua un acide purifiant sur la plaie :

— Santorin est avec elle. Il saura la défendre.

— Toute cette histoire est ridicule, marmonna la vieille dame en retenant un petit cri de douleur.

— Non, elle est dangereuse. Storine a tort et elle le sait très bien.

Les yeux de la vieille dame s'adoucirent :

— Elle ne ressemble à aucune autre.

— C'est bien pourquoi elle doit être prudente. Les gens détestent ceux qui ne leur ressemblent pas.

Un grand roulement de tonnerre fit trembler les murs de la petite maison. Asséchée depuis longtemps, la terre avait soif. Le grand-père pulvérisa sur la plaie un film protecteur. Soudain, il suspendit son geste.

— Ça ne va pas?

— Rien, ce n'est rien, répondit le vieil homme en se relevant.

Bien qu'émoussés depuis qu'il avait pris sa retraite, ses sens le prévenaient d'un danger. Un court moment, il se revit comme autrefois, entouré de ses aides, à l'affût dans la jungle.

— Repose-toi, je monte te chercher une couverture.

Dans un grésillement sinistre, les lumières du salon clignotèrent puis s'éteignirent...

À l'étage, le grand-père de Storine chercha en vain à allumer le plafonnier. L'orage avait-il coupé l'alimentation en électricité? «Je reviens!» cria-il à sa femme du haut de l'escalier. À l'écoute du moindre bruit suspect, il passa dans leur chambre, ouvrit un tiroir de son bureau et sortit un pistolaser. C'était un vieux modèle datant de sa jeunesse, avec un régulateur de visée infrarouge et trois codes d'intensité. Il vérifia si la pile fonctionnait encore. Il soupira. «Ça aurait été trop beau!» Malgré tout, en empoignant l'arme, il se sentit tout de suite mieux. Il entendit craquer les marches de l'escalier, et se dit que l'orage faiblissait enfin. Plusieurs lampes se rallumèrent.

C'est en rentrant dans le séjour qu'une âcre odeur de fumée, d'épices et de cuir mouillé le prit à la gorge. Quelle ne fut pas sa surprise en apercevant, assis dans son propre fauteuil, un homme entièrement vêtu de noir qui fumait tranquillement un long et mince cigare ambré !

Tout d'abord, l'étonnement l'empêcha de parler, surtout quand il découvrit le colosse dégoulinant de pluie qui souriait bêtement, immense, debout derrière le canapé sur lequel sa femme était toujours allongée.

Le commandor Sériac suivit le regard du vieillard.

— C'est une bien vilaine blessure qu'elle a, votre femme…

Mais le grand-père fixait surtout les mains puissantes de Corvéus.

— Veuillez pardonner mon intrusion un peu cavalière, ajouta théâtralement le commandor, mais cela fait si longtemps que je brûle d'envie de vous rencontrer que j'ai omis de prendre rendez-vous.

— Qui êtes-vous ? demanda finalement le vieil homme d'une voix monocorde.

La terreur qu'il lisait dans les yeux de sa femme le plongeait dans une sorte de transe glacée. Le commandor tira sur son long cigare,

rejeta la fumée dorée dans la pièce et feignit d'ignorer l'arme que tenait mollement le vieillard dans sa main droite.

— Vous m'excuserez encore si je préfère garder l'anonymat, monsieur le directeur.

L'emploi de son ancien titre rassura le grand-père.

— Nous prendrons bien un peu de votre soupe, madame, car elle a l'air délicieuse, ajouta le commandor de cette même voix calme, teintée d'un formalisme tout militaire.

Corvéus se dirigea vers la cuisine. Il savait toujours où trouver de la nourriture. Sériac ne quittait pas le grand-père de Storine des yeux. L'instant était décisif. Tranquillisé par le départ du colosse, le vieil homme pouvait obéir à son instinct et braquer son arme sur lui. C'était une situation à haut risque. Mais le commandor adorait jouer avec le feu.

— Qu'attendez-vous de nous? questionna le grand-père en rejoignant sa femme, son arme toujours pointée vers le sol.

— Je tenais à vous remercier...

Déconcerté, le vieillard s'assit auprès de sa femme. Sériac ferma les yeux à moitié, la mâchoire légèrement contractée malgré son attitude nonchalante. Corvéus revint de la cuisine, un chaudron dans une main, une

énorme louche dans l'autre. Sur son pourpoint de cuir rouge cliquetaient deux coutelas de guerre.

— Je ne comprends pas…, commença le vieil homme.

— Bien sûr, et c'est parfaitement normal. Je voulais vous remercier d'avoir élevé la petite.

L'allusion à Storine assombrit le visage du grand-père. La méfiance remplaça la simple curiosité, et Corvéus reprit sa position derrière le canapé.

— Que lui voulez-vous, à notre petite-fille ? demanda la vieille femme en se redressant péniblement sur un coude.

Le commandor se leva, saisit une photo encadrée de Storine sur une table basse. Dehors, la pluie n'était plus qu'un faible crachin.

— Elle est magnifique ! Vraiment ! Tu ne trouves pas, Corvéus ?

Le géant, dont le visage poupin et les yeux émerveillés contrastaient avec la musculature, émit un grognement. Les lèvres barbouillées de potage, il laissa tomber la louche et le chaudron sur le sol et fit mine de bercer un enfant dans ses bras immenses.

— Oui, merveilleuse, répéta Sériac.

— Qu'est-ce que cela signifie, monsieur? l'interrompit le vieil homme.

Le commandor leva une de ses mains gantées en un geste d'apaisement.

— Ce qui me tracasse, reprit Sériac, c'est comment? Je veux dire, dans quelles circonstances l'avez-vous adoptée? Car il va sans dire qu'elle n'est pas la fille de votre cher fils disparu, comme vous l'avez raconté aux membres de votre famille et à tous vos amis. Physiquement, elle ne vous ressemble pas. C'est l'évidence. Alors?

— C'est exact, répondit le vieillard à contrecœur. Nous avons adopté Storine. Mais je ne vois pas en quoi tout ceci vous concerne.

Le commandor hésita un instant. Devait-il le leur dire? S'il le faisait, il ne prévoyait qu'une seule issue à leur petite conversation. Il se rassit.

— En vérité, le destin vous a joué un drôle de tour. Il aurait pu vous donner n'importe quelle enfant. N'importe laquelle… mais pas celle-là.

Piqué au vif, le grand-père sentit naître en lui une immense curiosité. Cet homme confirmait ses propres soupçons. Storine, comme ils l'avaient baptisée selon le rite des premiers colons d'Ectaïr, et dont le nom signifiait « tempête de lumière », n'était pas une petite fille comme les autres. Elle ne venait pas de leur *monde*. Et ce soir, il tenait enfin une chance de savoir, de savoir vraiment ! Il sentit la main de sa femme serrer la sienne.

— À vous voir, je devine combien vous l'aimez.

Le vieillard eut très peur de ce que cet homme mystérieux et menaçant allait ajouter.

— Elle n'est pas ici ! s'écria-t-il, le souffle un peu court.

— Non, mais elle va rentrer. D'ailleurs, avec cet orage, je déplore que la petite soit dehors. Elle pourrait attraper froid.

Il sortit de son long manteau de cuir un microcom dernier cri qu'il tendit au vieil homme.

— Appelez-la. Dites-lui que la soupe de votre femme est délicieuse et qu'elle a la visite de vieux amis.

— Que nous voulez-vous à la fin, monsieur ? s'énerva la vieille femme que sa blessure faisait de plus en plus souffrir.

— Cela me paraît évident !

Sériac éclata d'un grand rire un peu fou.

— Appelez-la, ordonna-t-il d'un ton sans réplique.

— Renvoyée ! tu as entendu ça, Santorin ? s'exclama Storine, après qu'ils furent sortis du bureau de la directrice.

Ils marchèrent dans le long couloir obscur.

— Ne le prends pas mal. Ils ont peur, c'est tout.

— T'en fais pas pour moi, je suis bien contente, au contraire !

Les lourds nuages crevèrent. Une pluie glacée se mit à tomber sur la vallée et sur la petite cité frontalière.

— Quand je pense que je leur ai tout dit !

— Tôt ou tard, ils auraient fini par découvrir le passage, tu sais.

S'accrochant à l'uniforme de Santorin, la fillette éclata en sanglots.

— Je les ai trahis !

Dans l'immense grondement de tonnerre qui ébranla l'édifice tout entier, Storine fut la seule à entendre l'appel.

— Croa, laissa-t-elle tomber.

Elle arracha son anorak jaune fluo des mains du garde et se précipita dehors. Le parvis de l'école était désert.

— Croa ! répéta-t-elle lorsque Santorin l'eut rejointe.

— Si près de l'école ?

— J'y vais !

Elle s'élança sous les trombes d'eau. Le garde courut vers son véhicule tout-terrain puis se ravisa. « Il va se passer quelque chose, pensa-t-il. Mais quoi ? »

Sans hésiter, il emboîta le pas à l'enfant.

Croa surgit au détour du sentier, près de cette clairière où Storine s'était fait attaquer la veille. Pour s'abriter du déluge, la fillette se blottit contre son flanc chaud. Aussitôt, un joyeux couinement attira son atention. Caché entre les pattes de sa mère, Griffo remua la queue et vint lécher le visage de sa jeune compagne de jeu.

Trempé et aveuglé par les cataractes, Santorin s'arrêta à dix pas de la grande lionne, hypnotisé par le spectacle incroyable du fauve et de l'enfant pendue à son cou.

Les griffes de la lionne labourèrent le sol détrempé. Storine calma son amie en la caressant entre les yeux tout en lui parlant d'une voix douce. Après une minute ou deux, Santorin vit la fillette remuer les lèvres et faire de grands signes dans sa direction. À cause de l'orage, il mit sa main contre son oreille pour lui signifier qu'il ne comprenait pas.

— Reste là ! ordonna Storine à Croa.

Puis elle courut rejoindre Santorin.

— C'est grand-père ! haleta-t-elle, le visage dégoulinant.

— Comment ?

Il s'empara du microcom que Storine lui tendait et, sous l'abri précaire de son anorak tendu au-dessus de sa tête, cria dans l'appareil pour se faire entendre.

Les yeux mi-clos, le commandor observait le grand-père adoptif de la fillette. Difficilement et avec une lenteur exaspérante, celui-ci répétait les phrases qu'il lui soufflait.

— Parfait. Ainsi nous n'avons plus qu'à attendre, conclut-il en rejetant dans le salon un grand rond de fumée.

Ce fut cet instant que le vieillard choisit pour agir. Il pointa son arme vers le visage du commandor, cria : « Appelez du secours ! » à Santorin dans le microcom, puis il bondit en avant…

Storine vit le visage de Santorin se figer en une drôle de grimace.

— Allô! Allô! s'écria Santorin.

Les cheveux collés au front, Storine serra ses bras autour de son corps et se mit à claquer des dents, tandis que des éclairs rouge sang zébraient le ciel.

Déjà, Santorin composait le numéro d'urgence des gardiens du parc. Il piétina deux longues minutes dans la boue avant de parler à un responsable. Storine n'arrivait pas à entendre ce qu'il disait, mais ça devait être grave. Quand il eut fini, il regarda la petite. Devait-il lui dire qu'il était arrivé malheur à ses grands-parents? Il la prit par les épaules.

— Nous ne rentrerons pas chez toi ce soir, Storine.

— Mais... pourquoi?

Le visage de Santorin demeura sans expression. Les lèvres tremblantes, l'enfant se tourna vers la grande lionne blanche comme si elle seule pouvait répondre à sa question. Soudain, une énorme déflagration fit trembler le sol sous leurs pieds. Storine balbutia:

— Ce n'était pas le tonnerre, ça...

Malgré la nuit et l'orage, une partie du ciel se teinta d'un voile écarlate. Habitée d'un sombre pressentiment, la fillette sentit une main invisible lui tordre le ventre.

— Ce n'était pas un éclair, dit-elle en s'arrachant aux bras de Santorin. Croa!

Elle se hissa sur la croupe de la lionne, fouetta ses flancs d'un vigoureux coup de talon.

— N'y va pas! lui cria le garde.

L'orage avait repris son souffle. Une nouvelle cataracte, aussi violente que la première, s'abattit sur la vallée.

Dans sa tête, Storine voyait l'image rassurante de sa petite maison ronde et blanche qui se profilait, fantomatique, sur la toile des immenses troncs noirs. La fillette aimait dire que sa maison ressemblait à la carapace d'une tortue, sauf qu'on l'aurait plutôt comparée à trois tortues montées les unes sur les autres. De larges baies vitrées s'ouvraient sur des pelouses entretenues avec soin par sa grand-mère. Un garage plus petit abritait le scout'air de son grand-père.

Arrivée devant chez elle, Storine sauta à terre et courut. De sa maison, il ne restait qu'un amas de décombres noircis, de poutres enchevêtrées au sol, comme les bras misérables d'un insecte désarticulé.

Les trois appareils de sécurité alertés par Santorin atterrirent sur les lieux quelques minutes plus tard. En l'appelant à grands cris,

le jeune garde courut vers la fillette, le visage décomposé par la stupeur et le chagrin.

Storine ne comprenait pas pourquoi sa drôle de petite maison avait disparu. Il se dégageait des restes de l'incendie une touffeur poisseuse qui collait les vêtements à la peau. Le tonnerre remuait le ciel de sa main géante, mais Storine marchait toujours, s'accroupissant parfois, les yeux vides, sa frêle silhouette enveloppée de minces geysers de vapeur.

De nombreux curieux, des employés du parc, se massaient autour du sinistre. Santorin voulut rejoindre Storine, mais Croa s'interposa. Griffo, lui, resta en retrait.

La lionne s'approcha seule de la fillette. Sans un mot, Storine se réfugia entre les pattes du grand fauve et enfouit son visage au creux de ses bras.

4

Le clan de la forêt

Storine fut hospitalisée au centre médical de Fendora. Elle ne souffrait que de quelques contusions mineures, mais, considérant le choc émotionnel qu'elle venait de subir, Santorin insista pour qu'on la garde en observation pendant plusieurs jours. Selon la thèse officielle des autorités, l'explosion était due à une défectuosité du système électrique. Mais Santorin n'en avait pas moins sa petite idée.

Il commença par demander une permission spéciale à son supérieur. Puis il mena sa propre enquête. Malgré les airs de philosophe un peu rêveur qu'il se donnait volontiers, il ne fut pas long à apprendre la venue d'un étranger fraîchement débarqué, qui se faisait appeler monsieur Akirian. Lorsqu'on lui traça

le portrait physique de cet homme, Santorin ne put s'empêcher de frémir. La présence du commandor Sériac Antigor sur Ectaïr ne pouvait signifier qu'une chose : ses visions étaient exactes. Storine était celle qu'il recherchait, lui aussi.

Malgré le double assassinat de la veille, il se sentait soulagé. Il découvrit que Sériac, sous une seconde identité, venait de louer une petite navette spatiale et qu'il avait soudoyé un officier du principal relais orbitant autour de la planète.

« Quelle ironie ! songea-t-il. Mes visions m'apprennent le principal tout en me cachant l'essentiel. Vinor est grand ! » Une seule décision s'imposait dans l'immédiat : retourner auprès de Storine et assurer sa protection.

Le médecin traitant, un petit bonhomme dont les lunettes lui tombaient sur le nez, le prit à part dès son retour à l'hôpital.

— Il s'agit de la petite…

— Oui ?

— Elle semble s'être enfermée dans un mutisme complet.

— A-t-elle pleuré ?

— Non. Et c'est justement ce qui m'inquiète.

— Laissez-moi essayer.

Le médecin rajusta ses lunettes. Il éprouvait quelques réticences à laisser un étranger, même s'il s'agissait apparemment d'un ami, tenter une approche qui pourrait se révéler maladroite.

— Êtes-vous de la famille, monsieur ?

Santorin n'était pas d'humeur à discuter.

— Écoutez, docteur, je suis sans doute la seule personne dans cette partie de la galaxie à la connaître, à l'aimer et à pouvoir l'aider.

Il frappa à la porte de la chambre, puis entra avant que le médecin ait eu le temps de réagir. C'était une pièce sombre et exiguë. Le cœur du jeune homme se serra en voyant le lit minuscule et la silhouette prostrée sous la mince couverture grise. Il repensa à tous les événements qui l'avaient conduit jusqu'à Ectaïr, jusqu'à cette petite fille que son grand-père adoptif avait appelée Storine, la « tempête de lumière ». Il en ressentit un mélange de joie, de fierté, de même qu'une infinie tristesse.

Il s'agenouilla, fit une rapide prière pour remercier le dieu Vinor qui l'avait tant aidé. Puis il soupira. Le temps n'était plus aux prières mais à l'action.

Le corps de la fillette, roulé en boule, était crispé. Par instants, elle tremblait. Son visage blanc, sous la chevelure orangée, restait obstinément tourné vers le mur. Ses grands yeux verts semblaient vides. Santorin s'assit et commença à lui parler doucement. En entrant dans la chambre, sa décision était déjà prise.

— Retournons dans le parc, Storine, murmura-t-il. Juste toi et moi. Installons-nous près de ton étang, avec les lions. Avec Griffo, Storine ! Et Croa, et tous les autres…

La fillette ne prononça pas un mot. Seule, sa main droite glissa sur le drap. Santorin la prit dans la sienne. Une petite main osseuse, blanche, glacée.

En sortant, il alla trouver le médecin traitant.

— Docteur, nous quittons l'hôpital.

— Mais vous ne le pouvez pas ! La directrice de son école m'a bien recommandé de la garder ici jusqu'à ce que les membres de sa famille, à Briana, viennent la chercher. J'ai moi-même parlé avec le frère de son défunt grand-père. Il a de nombreux petits-enfants de son âge et se propose, ce qui est généreux, de la prendre chez lui.

— Cette enfant m'accompagne, docteur, répéta Santorin en posant ses mains piquetées de taches de rousseur à plat sur le bureau. D'ailleurs, c'est également ce qu'elle désire.

— Mais…, répliqua vivement le médecin, son avis n'a aucune importance.

— Ce n'est pas mon opinion, rétorqua le jeune homme.

Il souffrait de ne pouvoir lui expliquer que Storine était une enfant adoptée et qu'il avait, lui-même, davantage de droits sur elle que n'importe qui dans l'empire. Ne pouvant lui révéler qu'il était à sa recherche depuis près de neuf ans, il serra les mâchoires et mit dans sa voix toute la puissance de son autorité.

— Cela suffit, monsieur !

Dans la chambre, Storine, vêtue de sa robe de toile beige et de son long imperméable jaune fluo, l'attendait, debout, immobile, le visage inexpressif. Lorsqu'il revint, elle prit la main de Santorin et s'y accrocha de toutes ses forces. Pistolaser à la ceinture, le garde la conduisit hors de l'édifice, par une sortie dérobée où son scout'air était prêt à décoller.

Dans le cadre paisible et familier de son étang, le jeune homme espérait pouvoir lui expliquer que ses grands-parents avaient été assassinés – avec des mots choisis, bien sûr !

Et aussi lui révéler pourquoi. Mais était-elle prête ? Et surtout, serait-elle en mesure de comprendre ? En observant le petit visage livide, il en doutait. « C'est encore trop tôt. » Puis il songea au commandor Sériac. « Elle sera plus en sécurité dans le parc », décida-t-il.

— Storine ?

La fillette ne répondit pas. Il lui passa autour du poignet un microcommunicateur semblable au sien. Elle se laissa faire sans réagir.

— Storine, à partir de maintenant il est très important qu'on ne se quitte pas. Tu comprends ?

Elle hocha la tête mais ne desserra pas les dents. Il sourit. Cette enfant était bien de sa race…

Les odeurs à la fois fraîches et épicées du grand parc redonnèrent un peu de couleur à la fillette. Après avoir abandonné le scout'air dans un ravin, Santorin prit un sac à provisions qu'il chargea sur ses épaules. Ils rentraient dans l'illégalité.

— Nous passerons par l'étang, Storine, mais nous nous installerons beaucoup plus loin. Allons !

La fillette lui emboîta le pas comme une somnambule. Santorin prit au sud. Il coupa à travers la masse boisée inexplorée du parc, le plus à l'écart possible des voies empruntées par les transporteurs terriens remplis de touristes.

C'était le centre même de la réserve que Santorin visait. Il savait que Storine y bénéficierait de la protection maximale des lions. Armé d'un sabre en durallium dont la lame était un pur jet de lumière, il se fraya un chemin à travers les lianes et les redoutables plantes carnivores. De temps en temps, un rugissement se faisait entendre dans les taillis.

— Ne t'éloigne pas, surtout ! recommanda-t-il à Storine tout en sachant que lui seul, dans cette immensité sauvage, risquait réellement sa vie.

Dans son esprit, cette fuite au parc était provisoire. Souvent, il observait la fillette. Le doute n'était plus permis. Il l'avait enfin retrouvée.

À l'orée d'une clairière bordée de magnifiques fleurs géantes dont les corolles crachaient un poison mortel, Storine se mit à

parler. Doucement d'abord. Difficilement. Des phrases hachurées. Puis de plus en plus claires. Des mots durs portés par un ton de voix grave, presque éteint.

— Je les ais vus, Santorin, tu sais…

— Qui ça, ma chérie ?

— Grand-père, grand-mère.

Le jeune homme s'arrêta. Il pensait aux deux cadavres noircis auxquels ils manquaient, à l'un la tête et les deux jambes, à l'autre, les bras, arrachés par la force de l'explosion.

— Ils souriaient, poursuivit la fillette.

— Que racontes-tu ?

— À l'hôpital, la première nuit, je les ai vus. Ils étaient dans la lumière. C'était très beau. Ils m'ont embrassée.

Santorin ne savait que répondre. La croyance d'une vie après la mort était commune à presque tous les peuples de l'empire. Et si le *Sakem,* le livre sacré du Grand Unificateur Érakos, n'en parlait à peu près pas, c'était dans le but de respecter toutes les religions et toutes les cultures. On racontait que plusieurs épîtres du *Sakem* étaient conservées secrètement par les maîtres missionnaires et que, dans leurs versets, Érakos s'expliquait plus en détail sur le sujet.

La fillette s'arrêta, serra les poings.

— Ils m'ont dit… ils m'ont dit que j'étais une enfant adoptée, Santorin. Ils me l'ont dit.

Elle n'essuyait pas ses larmes qui roulaient, blanches comme du lait, sur ses joues.

— Dormais-tu quand ils te sont apparus ?

— Je… je ne sais pas.

— Tu as bien raison, Storine, finit-il par répondre. La mort n'existe pas vraiment et tes grands-parents veilleront sur toi, et moi aussi. Dépêchons-nous de gagner un abri avant la nuit.

Mais la fillette avait besoin de parler. Elle ralentit le pas à tel point que son compagnon dut la tirer par le bras.

— Je ne savais pas, avant. Jamais, ils ne m'avaient dit ça.

— Dit quoi ? s'enquit Santorin dont l'attention était concentrée sur un groupe de gauroks, sorte de rhinocéros géants à la cuirasse semblable à du bronze. Des herbivores, certes, mais si belliqueux avec leurs trois cornes frontales que les lions blancs eux-mêmes ne les chassaient jamais en solitaire.

— Que j'ai été adoptée, voyons !

Storine fit des efforts pour se rappeler sa petite enfance. Elle revoyait des photos, des

films. Son père, sa mère, morts tous les deux dans un accident de navette spatiale. Enfin, c'est ce que lui avaient raconté grand-père et grand-mère. Des images, oui, mais pas de vrais souvenirs. Rien sur quoi on puisse rire ou pleurer.

— D'où je viens alors, si je ne suis pas la fille de mon père ?

— À couvert ! hurla Santorin.

En face d'eux, le mur de buissons épineux bruissait comme s'il était vivant. Trois éclats de lumière éventrèrent un tronc noir, veiné de gris. L'arbre fut secoué. Les énormes cornes du gaurok le fauchèrent, tel un épi de blé.

Perdue dans ses pensées, Storine continuait d'avancer au milieu du troupeau de monstres. Santorin se redressa et brandit son sabre. Sans trop savoir quel serait son prochain mouvement, il fit deux pas en avant. Mais il s'arrêta aussitôt, hypnotisé par une scène incroyable : Storine, immobile au milieu d'un troupeau de mastodondes. Ceux-ci s'arrêtèrent un instant de mastiquer leurs branches géantes couvertes d'herbe et de terre. Certains, parmi les plus jeunes, se mirent à donner de violents coups de corne dans le vide. Ils sentaient une présence inhabituelle. Leurs muffles humaient l'air autour de l'en-

fant. Leurs cuirasses couleur de bronze cliquetaient. L'odeur leur était familière mais ce n'était pas celle de l'homme. Pas… totalement. C'était le lion blanc qu'ils sentaient, en infimes particules, autour de la fillette et jusque dans sa chair.

Santorin comprit la situation. Ces monstres allaient-ils paniquer ? Se croire victimes d'une attaque et tout piétiner sur leur passage ? Le jeune homme brandit son pistolaser en sachant bien que, s'il l'utilisait, il risquait d'enflammer une partie des arbres derrière Storine.

Soudain, un gaurok plus puissant que les autres, le chef sans doute, s'approcha de l'enfant. Il en fit le tour, jusqu'à la frôler de ses redoutables cornes. La flaira… Puis il décida qu'il y avait aussi en elle un mélange de leur propre odeur, ce qui la rendait inoffensive à leurs yeux ! Storine tendit le bras et saisit une des cornes granuleuses entre ses doigts. Abasourdie, Santorin se passa la main sur le front. Il appela la fillette, le plus doucement possible.

Quand ils reprirent leur route, Storine parla du gaurok. Le mastodonte avait communiqué avec elle. Il craignait une attaque des lions. Il était vieux. Ses fils étaient ceux qui

avaient fait mine de la charger. Bientôt, ils se battraient l'un contre l'autre pour prendre la place du vieux chef. Le vainqueur tuerait ensuite son père.

— Il a raison, continua Storine.

— Qui ?

— Le gaurok. Les lions vont bientôt les attaquer. Tu ne les sens pas ? Ils encerclent le troupeau. Croa est parmi eux. As-tu déjà mangé du gaurok cru, Santorin ?

— Ni cru ni cuit, avoua-t-il.

— Mettons-nous à l'abri, décida Storine.

Quelques instants plus tard, un grand lion mâle lança le premier rugissement. La confusion indescriptible et la violence de l'affrontement qui s'ensuivirent devaient marquer la mémoire de Santorin pour le restant de ses jours.

— Allons par là, murmura Storine en s'engouffrant dans une sente à peine ouverte.

Santorin se demanda si la fillette ne les conduisait pas directement au territoire de ce grand fauve qui semblait diriger la battue. Storine suivait le cours de ses pensées, car elle ajouta :

— Je l'ai appelé, Griffon. C'est lui le père de mon petit Griffo !

Lorsque les fauves rentrèrent de la chasse, Santorin fut soulagé de voir apparaître, parmi les premières lionnes, celle que Storine appelait Croa. Entre elle et lui s'était tissé, le soir de l'explosion, une sorte de lien invisible si fort qu'il fit vers elle le premier pas. Curieuse de voir ce qui allait arriver, la fillette le laissa faire. Les autres femelles plantèrent leurs griffes dans le sol, grondèrent, tendirent l'échine. Elles avaient la gueule maculée de sang, le pelage terreux. Croa n'était pas la moins barbouillée.

Immobiles à quinze pas du grand ensemble d'arbres et de rochers sculpturaux qui constituait la tanière de ce clan, l'homme et la fillette étaient un obstacle entre les mères et les vieilles femelles restées près des lionceaux. « Ce qui n'est certes pas une bonne chose à faire », pensa Santorin en sentant dans son ventre le spasme familier de la peur. Certaines lionnes traînaient d'énormes quartiers de viande sanguinolante, couleur de bronze ; d'autres, quelques cornes arrachées, au bout desquelles s'accrochaient des morceaux d'une chair plus rosée : l'intérieur de ce qui avait été la gueule d'un gaurok. Croa elle-même rapportait sa part de butin, une épaule au complet !

Griffo fut le premier à reconnaître l'odeur de sa petite maîtresse. Il courut vers elle, langue pendante, en poussant de joyeux couinements. Cette première réaction donna l'exemple aux autres lionceaux qui, sans s'occuper ni de l'homme ni de la fillette, se précipitèrent vers leur mère et leur repas du jour. Griffo ne s'attarda pas trop dans les bras de Storine. Lui aussi était affamé et entendait bien se disputer avec ses frères et sœur pour leur soutirer le meilleur morceau.

Santorin ne quittait pas la grande lionne des yeux. La nuit du drame, Storine avait pleuré contre son flanc soyeux. Enfin, Santorin avait pu s'approcher. À bout de force, la fillette était tombée dans ses bras. Avant de s'engouffrer dans les profondeurs de la forêt, Croa et lui avaient échangé un long regard.

La grande lionne blanche abandonna son épaule de gaurok à ses rejetons et trotta joyeusement vers eux. Storine lui entoura le cou de ses bras, sans porter attention au sang qui maculait la fourrure du fauve. Croa gronda doucement. Ses yeux rouge feu scintillaient avec bienveillance.

Alors, seulement, Santorin osa poser sa main sur la puissante tête de la lionne.

5

Le glortex

Santorin se hissa au sommet de l'aspérité rocheuse. À ses pieds se mouvaient les épaisses frondaisons de la forêt. Dans le ciel, on devinait à peine le cercle rouge de Myrta, masqué par les épaisses volutes de brume. Dans quelques heures, la chaleur deviendrait insupportable.

Avant de se lever, le garde avait attendu que les grands fauves se soient éloignés pour aller boire. Pourtant, le couple royal de ce clan de lions blancs, Griffon et Croa, semblait l'avoir adopté. Storine ne voyait là aucun mystère. Elle avait connu les deux lions quand ceux-ci n'étaient encore que des bébés aveugles qu'elle cachait sous son maillot de corps.

Chaque matin, depuis trois jours, Santorin surveillait la plaine. Ouverte au sud comme

une immense tache jaune au milieu d'un océan de verdure, c'est de là qu'ils viendraient, se disait-il. « Qui ça ? » Lorsque Storine le rejoignait et l'interrogeait, Santorin restait très vague.

« Ne t'inquiète pas », répondait-il avec un geste de la main qui lui signifiait pourtant de rester à l'abri. Puis il pointait son appareil oculaire en direction du ciel.

Storine lui répondait par une grimace et redescendait auprès des lionceaux, à l'ombre des grands arbres. De petites fleurs de sumark s'accrochaient aux rochers. Storine sentit les larmes lui monter aux yeux, car c'était avec leur pollen que sa grand-mère lui préparait son dessert préféré. « Mais si c'était pas ma vraie grand-mère, pourquoi est-ce qu'elle m'aimait ? » En reniflant, elle se jeta à plat ventre, le visage contre terre, les bras écartés pour respirer à fond les odeurs puissantes du parc.

Au sein du clan, Storine bénéficiait d'un statut spécial qui la situait, malgré sa petite taille, directement entre Croa et les autres lions adultes. Parfois, Santorin prenait le bras de la fillette et y posait le nez. Storine riait. Il la rassurait avec ce demi-sourire énigmatique qui jetait une lumière bizarre sur sa figure.

— Tu sens toujours la petite fille. Un arôme de lait et de sucre. Pourtant, ces fauves qui terrorisent les hommes semblent croire que tu es une des leurs. Et les gauroks aussi !

La fillette soufflait avec agacement sur les mèches rebelles de son front.

— Toi aussi, ils t'ont adopté ! se défendait-elle. Pourquoi toutes ces questions ?

— Ça fait partie de ma nature. J'ai besoin de tout connaître, de tout comprendre, de tout expliquer.

Ce matin-là, alors que Storine, lassée des bavardages philosophiques de Santorin, s'apprêtait à dégringoler le pic rocheux, le garde lâcha un juron :

— Par le dieu Vinor !

Quatre croiseurs survolaient la plaine, par le sud. Santorin effectua la mise au point de ses jumelles.

— Ils sont encore loin et les nuages sont denses, mais au moins deux d'entre eux appartiennent au bataillon d'intervention spécial stationné à Fendora. Sto ! Attends-moi !

Il rejoignit l'enfant et la prit par les épaules. Comme elle se mêlait sans crainte aux lions, elle portait sur les bras et les jambes de très fines griffures. La plupart avaient déjà cicatrisé. La fillette souriait. Il venait de l'appeler « Sto », un diminutif affectueux qui lui avait été donné par son grand-père.

— Ma petite chérie, dit-il en lui caressant la joue, ils arrivent. Descends te mettre à couvert. Les lions reviennent de l'étang. Réfugie-toi auprès d'eux et, surtout, restes-y. Tu me promets ?

Storine le regarda bien en face. Dans un sens, ils se ressemblaient. Même peau laiteuse criblée de taches de rousseur, même profondeur du regard, même mâchoire volontaire. Un peu boudeuse, elle promit.

Santorin vérifia la puissance de feu de son arme. Puis il marmonna :

— Il était temps. On va pouvoir s'expliquer. Parce que je commence à en avoir par-dessus la tête, moi, de bouffer de la viande crue !

Arrivée au pied de la structure rocheuse, Storine mit une main en visière au-dessus de ses yeux. Les quatre croiseurs spatiaux, dont deux frappés de l'emblème de la province de Ganaë, étaient en phase terminale d'atterrissage, à deux kilomètres environ du clan.

« Ils sont fous, ma parole ! » se dit Storine, alors que trois lionceaux venaient se frotter contre ses jambes.

Elle s'accroupit auprès de Griffo, posa son petit nez contre son gros nez humide et répéta ce qu'elle venait de dire.

Lorsque les nuages de poussière soulevés par les appareils retombèrent, Santorin distingua une cinquantaine de gardes armés qui sortaient des soutes une escadrille de scout'air, spécialement équipés pour la chasse en forêt. Presque aussitôt, son microcom se mit à sonner. Le directeur du parc, son supérieur immédiat, lui demanda de s'éloigner doucement des lions. Il n'avait rien à craindre. Ils étaient là pour les protéger.

Santorin se mit à rire.

« Nous protéger ! »

Il regarda dans ses jumelles. Deux hommes descendaient une longue passerelle métallique. Il reconnut le directeur du parc ainsi qu'un vieux civil. Santorin paria qu'il s'agissait de ce grand-oncle de Storine venu exprès de Briana pour récupérer l'enfant.

— Dans un sens, marmonna-t-il, je suis presque content qu'il s'agisse d'eux et pas du commandor Sériac.

Au même moment, réunis en conseil autour de Griffon, les fauves grondaient et labouraient le sol de leurs griffes redoutables. De mémoire de lion, c'était la deuxième

fois que leur territoire personnel – et non pas seulement les sentes officielles pratiquées dans le parc – était envahi par des humains. Coincée entre deux flancs chauds, Storine suivait les pensées de ses amis et la montée progressive de leur colère. La dernière chasse au lion organisée sur ce territoire s'était terminée par la débâcle pitoyable des soldats. Quant aux chasseurs, soi-disant professionnels, envoyés de temps en temps, illégalement, pour ramener une crinière de lion blanc, aucun d'eux n'était jamais revenu vivant de l'expédition.

Perché sur son promontoire, Santorin observait les deux clans : l'homme et son armement technologique, d'un côté ; de l'autre, les lions. Ces bêtes étaient les plus dangereuses de la galaxie, à cause d'une force mentale hypnotique produite par leurs cerveaux, le glortex, capable de projeter sur l'adversaire des griffes d'énergie immenses et invisibles. Une terreur indicible s'emparait alors de l'ennemi qui, disait-on, se mettait à tressaillir de frayeur, à des centaines de mètres de distance.

Le glortex conférait aux lions blancs un avantage sur les autres espèces de prédateurs connus. Les félins possédant le glortex le plus puissant devenaient chefs de clan. Les chefs

s'affrontaient régulièrement dans le parc. Par télépathie, ils communiquaient avec les chefs des autres parcs puis, se débrouillant toujours pour franchir les barrières de sécurité, ils se rencontraient en terrain neutre pour des combats rituels. Un seul lion sortait vainqueur de ces joutes sanglantes : le roi.

Storine savait tout cela. Cette connaissance, elle l'avait acquise en les regardant vivre, se battre et mourir. Mais, pour l'heure, toute son attention était concentrée sur Griffon, le roi incontesté de ce parc impérial, le plus vaste de la planète Ectaïr.

Sur son promontoire, Santorin partageait la même exaltation.

« Pourvu qu'ils n'avancent pas davantage ! » se dit-il en braquant ses jumelles sur le groupe de croiseurs.

Son microcom se remit à sonner.

— Monsieur Astford ! soyez raisonnable et rejoignez-nous avec la fillette, commanda le directeur.

Entendre son nom d'emprunt fit sourire le jeune homme. Le directeur était un fonctionnaire modèle, hypocrite et obéissant. Il portait son énorme bedaine sous un costume blanc impeccable. Une ombrelle à suspension magnétique se déployait au-dessus de

sa tête et le suivait partout. L'homme craignait la chaleur de Myrta qui le rendait malade les trois quarts de l'année. Mal à l'aise, sa voix grasse s'éleva à nouveau :

— On vous accuse d'enlèvement, Astford ! Je vous annonce d'ores et déjà votre renvoi. La police de Ganaë m'a confié une escadrille pour récupérer l'enfant, dont la famille est arrivée.

« Ce directeur est un imbécile et un lèche-bottes, se dit Santorin. Il ignore les motifs de ma présence sur Ectaïr. Il ignore tout de Storine. Peut-être me soupçonne-t-il d'avoir assassiné ses grands-parents. Ma parole, mais c'est le monde à l'envers ! »

— Monsieur Astford, reprit le directeur, je vous ordonne d'évacuer les lieux et de vous diriger avec l'enfant vers nos croiseurs. Il y va de votre sécurité. Je vous en prie, je saurai faire preuve de clémence !

Santorin faillit s'étouffer de rire dans son microcom.

— Monsieur le directeur, répondit-il, ironique, les seules personnes en danger ici, ce sont vos hommes… et vous-même !

— Monsieur Astford, aboya le gros homme, ne me poussez pas à employer la force.

— Vous plaisan….

Santorin ne put terminer sa phrase. Un gigantesque rugissement secouait la plaine. Sortant des fourrés par dizaines, les lions s'avançaient lentement vers le groupe de croiseurs.

— Je vous en conjure, reprit Santorin, donnez l'ordre à vos hommes de regagner leurs appareils.

— Résignez-vous, bredouilla le directeur d'une voix blanche.

— Si vous mettez vos hommes à l'abri, je consens à venir seul vous prouver ma bonne foi.

— Mais…

— Monsieur le directeur, sachez bien que si j'ai amené la petite Storine dans le parc, c'est uniquement pour assurer sa protection. Ne provoquez pas davantage la colère des fauves et laissez-moi tout vous expliquer.

Le directeur soupira dans le bracelet, mais il finit par répondre qu'il accordait au garde le bénéfice du doute. Satisfait et contrarié tout à la fois, Santorin descendit de son perchoir. Il lui en coûtait de mettre un simple directeur de parc dans le secret de ce qu'il appelait depuis neuf ans « son grand projet ». Mais il était essentiel que Storine reste avec lui. Et puis, il ne voulait pas être responsable d'un carnage. Il avait lu dans les écrits du *Sakem* le compte rendu d'un combat entre l'homme et les lions. Terrorisés par le pouvoir mental des fauves, les soldats s'étaient mis à s'entre-tuer sauvagement.

Storine le rejoignit au pied des énormes blocs de granit.

— Griffon est très contrarié. Je ne l'ai jamais vu comme ça.

— Les soldats veulent que tu les suives, Storine. Ton grand-oncle de Briana est arrivé. Les autorités pensent que je t'ai enlevée.

— Mais… c'est faux !

— Oui, mais eux l'ignorent. Je vais aller expliquer à leur chef tout ce que je sais en espérant qu'après…

Storine serra soudain ses bras autour de sa taille, fort à s'enfoncer les ongles dans la peau. Son corps était chaud et dur. Ses cheveux en bataille ressemblaient à s'y méprendre à la crinière de feu du grand lion-roi. Ses yeux vert pâle, presque blancs en cet instant, brillaient de larmes :

— Ne me laisse pas, Santorin.

Il y avait tant de détresse dans ces quelques mots ! Santorin y vit comme un mauvais présage. Il lui releva le menton. Voilà maintenant qu'elle pleurait. Comme pleure une enfant

quand elle est inquiète. Quand elle est triste. Quand elle a peur. Mais, au milieu des lions, que pouvait-elle bien craindre ?

— Storine, je…

— Oui ?

Mais les mots s'étranglèrent dans sa gorge. Lentement, il traça du doigt un signe – une pyramide dans un cercle – sur le front de la fillette.

— Vinor, je te la confie. Reste avec les lions, ajouta-t-il.

6

Une colonne de lumière

Santorin s'avança dans les herbes hautes vers le groupe de lions géants postés, épaule contre épaule. Storine s'agenouilla et attira Griffo contre sa poitrine.

— Il est courageux Santorin, lui expliqua-t-elle. Et puis, même s'il ne le sait pas, il sent un peu le lion blanc, lui aussi.

Elle le suivit des yeux en lançant à la meute une prière télépathique : « Laissez passer Santorin. Laissez-le aller. » Avait-elle réellement conscience de leur adresser un message ou bien cette pensée surgie de son cœur n'était-elle qu'un simple souhait ? Lorsque le garde arriva à la hauteur des monstrueuses échines blanches, Storine frissonna. Santorin avançait toujours, sans la moindre protection. « C'est un brave », songea-t-elle. La fillette

serra plus fort le lionceau contre elle, retenant son souffle. Dans l'état de rage où ils se trouvaient, il suffisait d'un rien pour que les lions oublient que Santorin était leur ami.

Griffon lança un second rugissement auquel répondit chaque membre du clan. De la forêt toute proche affluaient d'autres lions. Leurs rugissements, en se mêlant à celui de leur roi, emplissaient le parc tout entier.

Santorin marcha comme un automate vers les croiseurs. Il apercevait les scout'air parqués autour des grands appareils dont les flancs étincelaient sous les rayons de l'étoile Myrta. La brume se levait. Ses vapeurs légères se dissipaient dans la lumière aveuglante.

Effrayés par les rugissements, les soldats se serraient les uns contre les autres. En arrivant près d'eux, Santorin vit l'expression hagarde de leurs visages, le vide effrayant de leurs yeux. Certains s'étaient déjà évanouis. D'autres frôlaient l'hystérie. Le glortex des fauves planait autour d'eux, invisible, impalpable, terrible.

Santorin aussi avait peur. Mais il gardait à l'esprit l'image forte de Storine jouant avec les grands fauves ; Storine mâchant de la viande crue avec la meute ; Storine montée en croupe sur la puissante échine de Griffon.

Arrivé au pied de la passerelle du plus gros bâtiment, il poussa un soupir. Le directeur du parc, plusieurs soldats et le civil l'attendaient dans la soute d'embarquement. Santorin sourit en les découvrant agenouillés, le teint livide.

Il releva son ex-patron. Celui-ci mit quelques secondes à le reconnaître. Après quelques bredouillements, le gros directeur adressa un signe de tête au commandant des troupes. L'officier sembla émerger d'une profonde torpeur, puis il ordonna à ses hommes postés autour des bâtiments de se replier.

— Voilà qui est sage, déclara Santorin. Maintenant, monsieur le directeur, si vous consentiez à rejoindre par satellite le palais du haut-gouverneur à Briana, je...

— Pour qui vous prenez-vous ? aboya soudain le directeur d'un ton sec.

Puis, se tournant vers l'officier, il ajouta :

— Colonel, arrêtez cet homme. Il est accusé d'enlèvement, de violation des lois du parc et de rebellion contre l'autorité du gouvernement de Ganaë.

Santorin n'eut pas le temps de battre d'un cil qu'il était plaqué au sol par trois robustes soldats. On le menotta.

— Vous commettez l'erreur de votre vie, se contenta de dire Santorin.

Le directeur fit un geste de la main qui signifiait le peu d'importance qu'il accordait à l'opinion de ce garde trop présomptueux.

— Monsieur, répliqua-t-il à Santorin, voici l'honorable député Éphilion Gandrak, attaché au gouvernement de Briana et proche collaborateur du haut-gouverneur. Et il tient beaucoup à cette enfant, qui est sa petite-nièce.

— Storine est une enfant adoptée illégalement. Illégalement, entendez-vous ? Et cet homme, tout député qu'il soit, n'a aucun droit sur elle.

Le vieux civil, courtaud et voûté, fit un pas vers le prisonnier. Son long manteau orangé balayait le sol et arborait, sur l'épaule droite, les armes de Briana. Ses traits fins, presque aristocratiques, étaient ceux d'un homme honnête et intelligent.

— Qui êtes-vous, monsieur ? lui demanda-t-il en le détaillant comme si le visage de Santorin, d'une rousseur éclatante, lui était vaguement familier.

— Je…

Juste à cet instant, le microcom du jeune homme carillonna.

— Santorin ! Ça va ?

La fillette était inquiète. Un des soldats s'approcha de son officier en claquant des dents.

— Les lions, colonel, ils approchent…

— Relevez-le, ordonna le directeur en désignant Santorin.

On lui arracha son bracelet-communicateur. Le directeur se le fit remettre, puis, tandis que le grand-oncle de Storine observait toujours Santorin, il tenta de convaincre l'enfant.

— Storine, ici le directeur du parc. Tu me connais, rappelle-toi, j'étais un ami de ton grand-père. Il faut que tu viennes nous rejoindre, Storine. Ton grand-oncle de Briana est là. Il est d'accord pour t'accueillir chez lui. Allô! petite, tu es là ?

— Elle ne répondra pas, leur dit Santorin. Monsieur Gandrak, vous avez l'air d'un homme sensé. Vous connaissez le haut-gouverneur. Je vous en prie, contactez-le, donnez-lui mon nom d'emprunt, Santorin Astford. Vous verrez que toute cette affaire n'est qu'une affreuse méprise.

Le député ferma un instant les paupières pour réfléchir.

— Je vous en conjure ! insista Santorin. Storine n'est pas la simple fillette que vous imaginez !

— Monsieur le directeur, puis-je utiliser votre salle des communications ? demanda Éphilion Gandrak.

Sans attendre la réponse, il sortit de l'immense soute. Avant de passer la porte électronique, il se retourna vers Santorin :

— Je ne vous promets rien.

— Par le dieu Vinor, répondit celui-ci, hâtez-vous ! Chaque minute compte !

Santorin n'était pas tranquille. Cette accumulation d'erreurs et de contretemps n'était pas seulement grotesque, elle était aussi très dangereuse.

— Les fauves semblent s'être calmés, annonça un soldat en s'épongeant le front.

— C'est vrai, ils se retirent, constata le directeur, soulagé.

— Je ne vois pas où était le danger, fit remarquer le colonel d'un ton froid. Quelques tirs de proton les auraient dispersés.

Le gros homme sentit la colère le faire ballonner davantage.

— Vous n'y songez pas, colonel ! Ces fauves sont sacrés, vous le savez. Quiconque dans l'empire ose les blesser est passible de la peine capitale !

Santorin donna au colonel une bonne occasion de se taire en lui coupant la parole :

— Monsieur le directeur, laissez-moi parler à la petite. Je crains que…

Dans la paume grasse du directeur, le bracelet se mit soudain à grésiller. Tous entendirent l'appel au secours de Storine, suivi d'une série de petits cris. L'enfant appela Griffo. Puis Croa. Puis Griffon. Enfin, par trois fois, elle cria le nom de Santorin.

— Par Vinor ! s'exclama celui-ci en secouant ses liens. Libérez-moi, vite !

Au même instant, le député Gandrak, de retour de la salle des communications, ordonnait aux soldats de libérer Santorin. Son teint était blême. Il tomba à genoux devant le garde.

— Pardonnez-moi, j'ignorais, je, je…, bredouilla-t-il devant les soldats et le directeur stupéfaits.

— Assez ! trancha Santorin. Donnez-moi un scout'air, je pars à la recherche de la petite. De votre côté, voyez sur vos écrans s'il n'y a pas une navette spatiale dans le secteur.

Santorin dégringola la rampe d'accès et sauta à califourchon sur un aéroscouteur. Ses réacteurs crachèrent. L'engin se cabra et disparut en direction de la forêt dans un torrent de vapeur.

En dépassant la clairière et le piton rocheux, Santorin fut surpris de constater qu'aucun lion n'était tapi en embuscade. La clairière et l'auvent formé par les hautes frondaisons étaient déserts. Même les femelles et leurs petits avaient abandonné leur tanière.

Santorin s'engagea dans une sente nouvellement ouverte, semée de troncs brisés, au cœur de la brousse. Les lions avaient défoncé le sous-bois et l'avaient creusé de leurs griffes, de leurs épaules, comme s'ils avaient été en proie à une grande panique. « Pourquoi ont-ils levé le siège ? se demanda Santorin. Rien ne peut expliquer la cause de cette retraite soudaine… »

Il lui semblait hautement improbable que les lions blancs, qui ne craignaient rien ni personne, aient subitement éprouvé de la peur ! Il se reprocha de n'avoir pas pris le temps de récupérer son bracelet.

Alors que la piste se faisait accidentée et sinueuse, il entendit les premiers rugissements. Il dépassa quelques vieux fauves en manœuvrant son engin avec précaution. (Ce n'était pas le moment d'en heurter un par accident !) La pente devenait plus raide. Les frondaisons s'éparpillaient. « Une crête ! » songea Santorin.

Cinquante mètres plus loin, les fauves immobiles composaient un mur blanc impressionnant. Ne pouvant progresser davantage avec sa machine, Santorin abandonna son scout'air et se glissa jusqu'au premier rang, sans s'occuper des énormes croupes dressées.

— Storine ! hurla-t-il.

Le sommet de la colline surplombait un précipice d'une soixantaine de mètres. La crête, une esplanade d'herbe et de pierraille d'environ quinze mètres carrés, était le théâtre d'un spectable macabre. Un grand corps reposait sur le flanc. Les larmes aux yeux, Santorin reconnut Croa, la grande lionne. Plus loin, blessé à mort, Griffon tenait dans sa gueule l'épaule d'un colosse. L'homme portait une protection spéciale doublée, semblait-il, d'un champ de force comme n'en possédaient que certaines unités d'élite de l'armée impériale. Son sabre en durallium était en rapport avec sa taille. Cette lame écarlate, appuyée par plusieurs jets de pistolaser, avait brisé la charge du grand lion blanc. Pourtant, tous deux luttaient encore, immenses, le sang du géant mêlé à celui du fauve. Dans le dos du colosse, Santorin reconnut le petit générateur d'énergie qui l'avait protégé de la puissance télépathique de Griffon. Là encore, ce genre

de technologie était strictement réservé à une caste de chevaliers.

Et Storine ?

La petite était agenouillée à proximité des deux combattants, tétanisée par la frayeur, Griffo serré dans ses bras. Tenus à distance par le glortex de leur roi, les autres fauves grondaient et griffaient le sol.

L'homme et le lion tombèrent ensemble, mais le sabre du colosse avait irrémédiablement ouvert le flanc du fauve. En voyant le pelage de son ami inondé de sang, Storine se mit à hurler. Griffon ne bougeait plus. Une dernière fois, alors que Corvéus se dégageait péniblement, le grand fauve caressa l'enfant de ses pupilles incandescentes. Comme un dernier message. Un dernier sourire.

Santorin cria. La horde des fauves lui répondit. Le colosse saisit Storine dans le creux de son coude et la souleva. Par réflexe, Griffo se jeta sur la botte du géant et y planta solidement ses jeunes crocs. Santorin reconnut, haut dans le ciel, une navette spatiale – celle, sans doute, louée par le commandor Sériac. Il voulut dégainer son pistolaser mais se rendit compte qu'il n'était pas armé. Alors il s'élança, sans autre arme que ses poings nus.

Tombé des nuages, un cylindre de lumière enveloppa le colosse, la fillette et le lionceau. Ils s'élevèrent lentement de terre. Lorsque les fauves attaquèrent, il était trop tard. La colonne de lumière s'évanouissait déjà, abandonnant à la terre les cadavres du roi et de la reine des lions.

7

La traque

Santorin fut acculé au bord du précipice par les fauves en colère. Plusieurs grands mâles commencèrent à se provoquer les uns les autres. Un nouveau roi serait bientôt choisi parmi eux.

Mais le garde n'avait ni l'envie ni le temps d'assister à ces combats rituels dans lesquels les adversaires s'affrontaient sans recourir à la force de leur glortex. Il scruta le ravin, aperçut tout au fond les flots déchaînés d'une rivière et sauta dans le vide, au moment précis où un grand mâle allait le faucher d'un coup de patte. Le merveilleux équilibre instauré au sein du clan par la présence de Storine était bel et bien rompu.

Sa rage de vivre sauva Santorin du courant et des rochers. Trempé, abasourdi par la force de l'impact, mais vivant, il échoua sur une

berge sauvage, où s'emmêlaient ronces et jeunes fleurs carnivores.

Quelques minutes plus tard, alors qu'il se demandait comment empêcher la navette spatiale du commandor de quitter l'atmosphère de la planète, un scout'air trouait l'épaisseur du sous-bois. Éphilion Gandrak lui tendit une main secourable.

— Storine ! haleta Santorin, enlevée...

Gandrak avait eu le temps de retrouver quelques couleurs, et lui fit un rapport détaillé. L'appareil inconnu avait opéré de très haut dans l'atmosphère, puis s'était aussitôt dirigé vers le couloir spatial de Briana.

— Mais... c'est le plus étroitement surveillé ! s'étonna Santorin.

— C'est là le plus surprenant.

Alors que l'engin repartait en trombe vers les croiseurs en attente au-dessus du parc, le député, gêné, voulut s'excuser de nouveau.

— N'en parlons plus, répliqua Santorin sur un ton plus tranchant qu'il ne l'aurait voulu.

Puis il s'adressa par radio à l'officier du croiseur de tête :

— Commandant, dès que nous serons à bord, apprêtez-vous à prendre en chasse la navette inconnue.

Sitôt à bord du croiseur de tête, Santorin courut jusqu'au poste de pilotage. L'officier de pont avait contacté la station orbitale qui contrôlait l'accès aux corridors spatiaux. Ceux-ci, au nombre de quinze, permettaient aux vaisseaux de ligne provenant des autres systèmes planétaires d'accéder aux différentes cités.

— L'homme a de solides complicités, déclara Santorin en se campant devant la console de surveillance.

Ne tenant pas à ébruiter cette affaire qui avait été jusqu'à présent la grande enquête de sa vie, il répugnait à nommer Sériac par son vrai nom. C'est pourquoi il resta évasif face aux interrogations discrètes du député Gandrak. La petite Storine n'était pas de son sang ; son adoption avait été illégale, même si les grands-parents adoptifs de l'enfant étaient innocents. Santorin insista bien là-dessus. Officiellement, il s'agissait d'un banal enlèvement. Mais personne ne fut vraiment surpris quand Santorin offrit une récompense mirobolante à l'équipage du croiseur s'il réussissait à rattraper la navette du commandor.

Santorin avait les traits tirés. Après avoir été si près du but, il risquait maintenant de tout perdre. Confiné dans une cabine, le directeur

du parc n'osait plus se montrer. Le colonel, quant à lui, avait perdu son arrogance. Santorin parla en direct, par communication holographique, avec le haut-gouverneur d'Ectaïr. Celui-ci se confondit en excuses.

— Il ne faut pas que cette navette sorte de l'atmosphère d'Ectaïr ! ordonna Santorin.

— Je... bien sûr..., balbutia le haut-gouverneur. Je vais donner des ordres.

— Monsieur ! les interrompit l'officier affecté à la surveillance radar.

Santorin s'approcha d'une batterie d'écrans. La planète s'y dessinait, de même que les principaux corridors spatiaux. De nombreux points lumineux traçaient des courbes blanchâtres. Un seul point, rouge vif, clignotait.

— Il s'échappe ! s'écria Santorin. Mettez-moi en liaison visuelle avec le commandant de la station orbitale.

L'engorgement du corridor spatial forçait les bâtiments à une attente frustrante. Sans doute prévenus par Briana, les officiers qui apparurent sur l'écran se mirent au garde-à-vous.

— Le message du haut-gouverneur est arrivé avec quelques secondes de retard, expliqua un vieil officier.

Santorin se rappela que le commandor avait soudoyé un employé de cette station. Lequel d'entre eux l'avait laissé filer ?

— Avez-vous encore la navette sur vos écrans ? demanda-t-il.

— Elle a mis le cap sur la périphérie du système planétaire. Elle coupe en ce moment l'orbite d'un satellite de Physias, la géante rouge.

— Avez-vous des troupes dans ce secteur ?

— Heu... non, mais...

— Envoyez une escadrille à sa poursuite.

Santorin demanda et obtint ensuite une priorité absolue sur les autres croiseurs, industiels ou commerciaux, également en attente. Il étudia les cartes spatiales qui défilaient sur l'écran holographique. Lorsque le croiseur put enfin sortir de l'agglomération d'Ectaïr, l'écho radar de la navette de Sériac était déjà très faible.

L'avance considérable du commandor inquiétait Santorin. Il regrettait à présent de n'avoir pas mis le haut-gouverneur dans la confidence. Mais à l'époque de son arrivée sur Ectaïr, il doutait encore de l'identité de Storine.

Puis, au moment où la navette de Sériac dépassait la planète Physias, le point radar disparut.

— Ce n'est rien, expliqua l'officier de pont. Des interférences dues aux fortes radiations émises par les gaz de la planète. Un cartel de compagnies exploite sur Physias des mines de séladium.

À moitié rassuré, Santorin demanda un agrandissement du secteur spatial. Y avait-il d'autres bâtiments à proximité ? Le scanner balaya une superficie de plusieurs milliers de sillons. En vain.

— Avez-vous pu tracer un diagramme technique de cette navette, commandant ? demanda Santorin.

— Elle est de type C, répondit l'officier.

— Donc pas conçue pour voyager à la vitesse-lumière !

— En effet.

— Et pourtant, elle nous file bel et bien sous le nez !

Santorin réfléchit : « Sériac a dû la faire équiper illégalement. »

— Storine porte à son poignet un microcom. Pouvons-nous tenter de la joindre ?

— Le rayon d'action de ces bracelets est très faible, monsieur. À peine quelques centaines de kilomètres.

Santorin dut s'avouer la puérilité de sa question. Il pensait à autre chose. Le matériel utilisé par le complice de Sériac pour combattre le glortex des lions ne faisait pas partie des modèles de série. Quant au rayon-captium envoyé pour récupérer le colosse et la fillette, il coûtait très cher et n'était réservé qu'à quelques élites. Sériac avait-il des appuis jusque dans le haut commandement de l'armée impériale ou bien agissait-il pour son propre compte ?

— Monsieur ?

— Oui, commandant ?

— Nous l'avons retrouvée.

La puissance des réacteurs fut réduite de moitié. Le croiseur entama une courbe autour de la navette. Les moteurs à l'arrêt, la navette semblait dériver au gré des courants solaires. Les ondes du scanner percèrent le blindage et révélèrent que l'appareil était vide.

Trois hommes prirent place aux côtés de Santorin dans un propulseur-jet. L'engin à cinq places et de forme conique était équipé à l'avant d'une puissante vrille en titanium. Tous se préparèrent au choc de l'abordage.

Sitôt à bord de la navette, l'équipe, l'arme au poing, se mit en chasse. Hagard dans les coursives dont l'éclairage pulsait faiblement, Santorin appela Storine. C'était stupide, il le

savait, mais un fol espoir l'habitait encore. Il huma l'air et fit sauter cloison après cloison.

Enfin, dans une cabine exiguë, il sentit l'odeur un peu musquée du fauve. Quelques poils blancs parsemaient les draps d'une couchette. Sa chaussure écrasa un objet longiforme. Le cœur gros, il recueillit dans sa main le bracelet-émetteur brisé de Storine. « Ils ont bel et bien été emmenés à bord. »

Il chercha désespérément un signe de la fillette. Avait-elle laissé un message, un indice ? En sortant de la cellule, Santorin n'était pas loin du désespoir.

Il faillit buter contre un des membres de l'équipe de recherche.

— Votre rapport ?

— Vide, monsieur. Mais le sas principal a été enfoncé. La carlingue est ponctuée de nombreux impacts laser. Dans les corridors, nous avons relevé des traces de sang. Cette navette a été abordée par d'autres que nous.

— Il y a longtemps ?

— Moins d'une heure. Ce n'est pas tout. Il manque une nacelle d'éjection.

— Vous voulez dire que quelqu'un a pu s'enfuir ?

— C'est possible, monsieur.

Santorin pensa à Storine. Se pouvait-il qu'elle ait échappé à Sériac ? Dans ce cas, où se trouvait celui-ci ? Il contacta le croiseur :

— Commandant, voudriez-vous balayer le secteur et voir si vous pouvez localiser une nacelle de sauvetage ? Allô! Commandant ?

Soudain, leurs communicateurs à épingle, fixés sur le revers de l'épaule, se mirent à siffler.

— Le signal d'alerte ! s'écria un des soldats.

— On attaque le croiseur !

Lequel des soldats venait de crier ? Santorin s'approcha d'un hublot latéral. Surgi de nulle part, un énorme vaisseau de guerre, construit tout d'un bloc et arborant en proue quatre formidables cornes dorées, venait d'apparaître.

— Le *Grand Centaure,* laissa tomber Santorin.

Ces mots glaçèrent d'effroi les trois soldats. L'instant d'après, un enfer de flammes dévorait le croiseur de la police de Ganaë. L'explosion ébranla la navette et propulsa les quatre hommes contre les parois. Le souffle coupé par le choc, Santorin se releva néanmoins et se précipita sur le hublot. Jamais il ne devait oublier ce vaisseau aux cornes d'or.

— Marsor le pirate…, bredouilla un des soldats dont les jambes flageolaient.

— Si seulement…, ajouta un autre homme au moment où les débris du croiseur, dans leur course folle, heurtaient violemment la coque de la navette.

— Si. Si ! s'écria Santorin en griffant de ses ongles la vitre du hublot. La vie entière n'est qu'un immense si !

Il pleurait de rage. Que de vies gâchées ! Il pensa à ceux que Storine appelait grand-père et grand-mère, au puissant couple de lions blancs qui avaient aimé et protégé l'enfant ; il songea au ridicule directeur du parc, au digne député Gandrak, à ce sympathique commandant et même à ce colonel arrogant.

Une pensée traversa son esprit. « Je ne suis qu'un prétentieux et un orgueilleux ! s'accusa-t-il en silence. Tous ces morts en sont le pathétique résultat. » Pris d'un malaise, il tomba à genoux : une grande lumière inonda son âme accablée.

— Vinor ! murmura-t-il, sous les regards éberlués de ses compagnons.

Il comprit alors qu'il avait eu tort d'essayer de protéger Storine contre son propre destin. Une main sur le front, il traça devant lui la

Ténédrah, la pyramide dans son anneau, l'œil au centre, le signe de reconnaissance du dieu.

— Vinor, répéta-t-il, protège-la !

8

L'abordage

Quand Sériac aperçut l'enfant dans les bras velus de son complice, il ressentit une jubilation presque enfantine. Neuf années de recherches, d'attente et de frustration ! Du sang coulait sur l'épaule du colosse. Pourtant, il gardait toujours sur sa face de poupon l'expression stupide qu'il portait en toutes circonstances.

Storine était très agitée. De bonheur, s'il n'avait pas déjà rayé ce mot de son vocabulaire, Sériac aurait voulu la serrer lui-même dans ses bras. Mais quand il approcha la main du visage de l'enfant, elle chercha à le mordre. Ses yeux verts injectés d'encre noire lançaient des éclairs.

Le lionceau, aussi grand qu'un chien adulte, avait toujours les crocs plantés dans la botte droite de Corvéus. Le colosse s'en

débarrassa d'un coup de pied. La fillette geignit comme si elle avait elle-même encaissé le coup.

— Quittons cette planète avant qu'on ne donne l'alerte ! laissa tomber le commandor en remontant son col de serge noir, comme s'il voulait se soustraire au regard perçant de la fillette.

Storine et Griffo furent jetés sans ménagement dans une minuscule cabine aux parois de métal, sans hublot, sans tapis, qui sentait le renfermé. Presque aussitôt, la poussée des réacteurs les projeta contre un mur. La navette se mit à trembler de toutes ses tôles. Allait-elle exploser ? La force d'ascension fut si violente que Storine se sentit écrasée au sol. Que se passait-il ? Elle tendit les bras vers Griffo. Celui-ci vint péniblement se blottir contre sa poitrine. Un bourdonnement sourd, intolérable, envahit son crâne.

« Je vais mourir », pensa-t-elle.

Après avoir franchi le relais spatial de Briana, la navette s'élança dans l'espace. Sériac savait que l'homme qui se faisait appeler Santorin n'allait pas tarder à les poursuivre. Il se félicita d'avoir soudoyé l'officier de pont du relais. « Les hommes font n'importe quoi

pour de l'argent ! » Il décida d'augmenter la vitesse de son engin, au cas où ce « Santorin » utiliserait les mêmes ruses que lui.

Maintenant qu'il avait récupéré la petite Storine, il ne lui restait plus qu'à contacter son ancien employeur. Son affectation dans l'armée impériale, au grade de commandor, lui laissait de grandes libertés. Mais il avait aussi des responsabilités. Pour ne pas éveiller les soupçons, il devait paraître de temps à autre dans les bureaux de l'état-major. Il avait déjà assez de mal à faire passer Corvéus pour un attardé dont il prenait soin ! Alors, comment indroduire la petite Storine dans son univers sans tout compromettre ?

« Le plus urgent est de nous mettre tous à l'abri. Ce Santorin n'était pas dans le parc pour rien. »

Il frissonna en se rappelant le rapport rédigé par son enquêtrice. La petite avait grandi sur une étrange planète, dans un environnement non moins étrange. Les lions blancs. Le lionceau qui l'accompagnait. Le don extraordinaire qu'elle avait et qui lui permettait non seulement de survivre au glortex des fauves, mais en plus de gagner leur amour inconditionnel ! Tout cela était prodigieux.

Il semblait aussi, dans une certaine mesure, que l'attitude des lions avait déteint sur l'enfant. La manière dont elle l'avait regardé, directe, sans peur, même si visiblement son petit monde venait de voler en éclats. Tout cela montrait à quel point elle possédait de précieuses ressources.

— Elle a du lion dans le sang, cette petite ! murmura-t-il tout haut, en souriant à demi.

Cela lui plut.

Même si ça risquait de compliquer ses affaires.

Corvéus grommela en montrant l'écran radar de sa grosse main.

— Par les tripes de Vinor ! s'exclama Sériac.

Storine avait la tête qui tournait. Elle se leva péniblement, tâtonna pour trouver un interrupteur. En vain. « Où sont les toilettes ? » Les jambes lui faisaient mal, elle se sentait l'estomac à l'envers. Griffo reniflait les quatre coins de la cellule et s'était soulagé dans un angle. La fillette alla coller son oreille contre la porte blindée. Le silence. Épais. Profond. Insupportable.

Soudain un bong ! sonore ébranla la coque de l'appareil, puis un deuxième, puis un troisième. Les chocs l'envoyèrent rouler au sol. Un désagréable froissement d'acier la fit grincer des dents. Venait-on à son secours ? Santorin avait-il persuadé le directeur du parc ? Le visage de Storine s'éclaira. Qui était cet homme sombre vêtu de noir qui l'avait enlevée ? C'était sans importance.

Des pas dans la coursive...

— Par ici ! cria Storine.

Elle se précipita vers la porte, s'arc-bouta dessus, tambourina l'acier froid de ses deux poings.

— Éééhoooo ! Santorin ! Santorin !

Toute à sa joie, elle ne remarqua pas Griffo, les griffes raclant le sol, les babines retroussées sur ses petits crocs aigus.

Soudain, la porte de sa cellule s'ouvrit et une haute silhouette vêtue de cuir, d'un casque et d'une longue cape apparut. Une violente odeur de sueur assaillit les narines de la fillette, et son cri mourut dans sa gorge. Le pirate eut un hoquet de surprise. Il allait refermer la porte quand, se faufilant entre ses jambes, Griffo jaillit hors de la pièce. Déséquilibré, l'homme se cogna le front contre le linteau métallique.

— Griffo ! s'exclama Storine en s'élançant derrière lui.

Elle venait à peine de faire quelques pas dans la coursive mal éclairée qu'une poigne de fer se referma sur sa nuque. On l'emmena sans ménagement dans la salle de pilotage où les pirates faisaient main basse sur les appareils rarissimes dont Sériac avait fait équiper sa navette.

Abasourdie, cherchant son lionceau, Storine leva la tête pour constater que ses ravisseurs, mis en joue par trois robustes pirates, étaient malades de rage. Surtout l'homme en noir qui ne la quittait pas des yeux. Storine soutint son regard de braise. Puis, se rappelant que le monstre au visage poupin avait assassiné Griffon et Croa, elle sentit la colère l'envahir. C'était comme un acide brûlant. Si brûlant d'ailleurs qu'elle se mit à trembler.

Le commandor, souriant, s'adressa à ses gardiens.

— Prenez tout ce qu'il y a à bord, je vous l'offre. Prenez même le lion blanc. Mais laissez-moi ma petite-nièce !

— Je ne suis pas sa nièce, hurla Storine. Il m'a enlevée. Et ne touchez pas à Griffo !

Pour toute réponse, elle reçut une taloche derrière la tête, ce qui la fit rouler aux pieds de Corvéus. Sériac se pencha vers elle.

— Ne fais pas l'idiote. Reste tranquille. Tu ne le regretteras pas.

Un des pirates poussa le commandor du bout de son pistolaser. Saisissant l'occasion, Sériac s'empara de l'arme et brisa la mâchoire du pirate d'un violent coup de crosse. Les deux autres guerriers eurent à peine le temps d'appeler leurs camarades que Corvéus leur écrasait la tête entre ses puissantes mains.

— Ne bouge pas, ordonna Sériac en montrant Storine du doigt.

Quatre autres hommes envahirent le poste de pilotage. Loin d'obéir au commandor, Storine se glissa entre eux à la recherche de son lionceau. Une fusillade éclata derrière elle. La fillette ferma un instant les yeux. Griffo…

Un cri de douleur répondit à sa prière. Dans sa tête se dessina l'image d'un pirate mordu par le jeune fauve. Elle prit la coursive de droite et se retrouva bientôt sur la passerelle artificielle jetée par les pirates lors de leur abordage. L'odeur de sueur et de cuir se fit plus violente. Storine réalisa soudain qu'elle venait de monter à bord du vaisseau pirate. Un, puis deux éclats de laser ricochèrent sur les parois métalliques à côté d'elle. Elle entendit le couinement caractéristique du lionceau, s'élança vers lui, puis, touchée par un trait de lumière qui lui brûla le dos, elle hurla de douleur.

9

Dans le ventre du *Grand Centaure*

Storine avait un goût de sang dans la bouche. La mort de Croa. Celle de Griffon. Son enlèvement par le géant au visage de bébé. Cet homme en noir aux yeux de braise. Jamais elle n'aurait cru qu'il existait au monde une force capable de tuer un lion blanc.

Jamais.

Une figure ridée comme une vieille pomme apparut soudain devant ses yeux. Storine crispa les poings sur ses paupières. Elle ne voulait pas voir cet endroit qui puait la mauvaise haleine et la transpiration. Où diable l'avait-on transportée ? Elle n'était pas seule dans cette pièce. Storine sentit la présence d'une dizaine de femmes, peut-être davantage. Elles l'observaient, murmuraient autour d'elle.

— Reculez, voyons ! gémit une voix chevrotante.

Storine aima tout de suite le timbre doux et fragile de cette voix. Elle entrouvrit les yeux mais laissa aussitôt échapper un cri d'effroi. Elle se trouvait dans un dortoir gigantesque, gris, sale et puant. La touffeur de l'air, emplie de dizaines d'odeurs différentes, lui donna un haut-le-cœur.

— Laissez-la respirer ! supplia la vieille femme.

— Où… est-ce que je suis ? demanda Storine, une main crispée sur son nez rendu très sensible par la vie sauvage qu'elle avait menée sur Ectaïr.

Un concert de ricanements lui répondit. La fillette était allongée sur une couche creusée à même une paroi de métal. Les murs de cet étrange endroit étaient tapissés de couchettes, semblables à des alvéoles dans une ruche. En plus de l'odeur nauséabonde, un sourd bourdonnement envahissait l'espace. Storine crut qu'elle allait vomir.

— Qui êtes-vous ? murmura-t-elle en faisant une grimace.

— Je m'appelle Ysinie et je viens du système d'Epsilodon. Et toi ?

Avec son corps maigre et sa tête deux fois plus grosse que la normale, la vieille était repoussante de laideur. La peau de son visage était si fine qu'elle laissait affleurer des veines bleues. Mais le plus effrayant étaient ses orbites oculaires, vides et noires, dépourvues de paupières, qu'elle ne prenait même pas la peine de couvrir avec ses longs cheveux blancs, comme si, revenue de tout, elle avait décidé que sa laideur et sa cécité étaient les choses les plus naturelles du monde. Storine déglutit mais elle n'évita pas la main parcheminée et osseuse qui lui caressait doucement la joue.

— Mon... dos, gémit-elle.

— Ce n'est rien, murmura la vieille Ysinie, ils ont utilisé un rayon paralysant.

Repoussant la Vieille-Sans-Yeux, Storine sauta à terre et se mit à courir dans le dortoir.

— Griffo ! Griffo ! hurla-t-elle.

La masse grouillante des femmes s'abattit sur elle.

Au moment où Storine allait perdre connaissance, de violents coups de fouet se mirent à pleuvoir de tous côtés. Prises de panique, les créatures se replièrent vers leurs couches respectives. Une voix impérieuse s'éleva et

une femme très grande, la poitrine emprisonnée dans une veste de lames de métal, fit tournoyer au-dessus de sa tête les branches acérées d'un fouet électrique.

Storine aperçut les éclairs bleu et blanc. La femme semblait marcher au milieu d'un orage de lumière. Elle vit aussi briller la colère dans son regard.

— Bande de chiennes ! s'exclama la femme au fouet en frappant au hasard les esclaves qui fuyaient devant elle.

Parvenue devant Storine qui se relevait péniblement, elle s'arrêta et plongea ses yeux dans les siens. Un garde s'approcha et lui murmura quelque chose à l'oreille.

— C'est une erreur, répondit-elle à l'homme.

Puis, comme Storine se demandait si cette femme pirate parlait d'elle, elle ordonna au guerrier :

— Je te charge de dresser ce troupeau de femelles.

La porte coulissante se referma sur d'inquiétants bruits de pas, de cris de guerre et de tirs de laser, comme si le vaisseau tout entier était la proie d'une insurrection.

10

La mutinerie

L'homme, le visage couvert d'une cagoule de velours noir, se glissa dans le corsaire spatial sur le point de décoller à l'insu du premier lieutenant Torgar et de ses complices. Éjecté des soutes du *Grand Centaure,* l'appareil s'éloigna sans encombre du reste de la flotte.

Taillé pour la vie sauvage et les mille dangers de l'espace, vêtu comme les membres de l'état-major de Marsor d'un épais costume de cuir coupé aux épaules et aux cuisses – ce qui mettait en relief son impressionnante musculature –, Torgar arborait en permanence un air de supériorité naturelle. Entouré de deux complices, il songeait aux événements qui l'avaient forcé à trahir la Grande Cause.

« En ce moment, songea-t-il, les membres d'équipage des principaux bâtiments de la flotte sont en train de se mutiner. Le *Grand Centaure* lui-même n'y échappe pas. Le règne absolu de Marsor va s'achever. Aucun regard en arrière. Aucun remords. »

Il fit mine de sourire. Pourtant, à bien y regarder, de minces filets de sueur coulaient sur ses tempes grisonnantes, et sa paupière gauche ne cessait de cligner nerveusement.

L'espace défilait sur l'écran de contrôle, immuable, éternel. Torgar se rendit compte que faire demi-tour maintenant était désormais impossible. Il avait allumé la flamme de la révolte ; il n'en récolterait pas les lauriers. Ses compagnons échangèrent des regards anxieux. Peut-être auraient-ils dû, comme bien d'autres, refuser la proposition du premier lieutenant. L'un d'eux, voulant apaiser la tension de son chef, laissa tomber d'un ton léger :

— Dans quelques minutes, nous serons à portée de communication.

Torgar grommela et sortit du minuscule poste de pilotage. Tandis que ses complices effectuaient les réglages de routine pour passer en vitesse-lumière, il descendit dans la soute du corsaire et s'accroupit devant un conte-

neur métallique peint en jaune. Placé sur des rails, l'objet faisait face à l'éjecteur d'urgence. Le premier lieutenant entra dans une console numérique une série de codes lumineux.

Il enregistrait la dernière série quand deux bruits étouffés lui parvinrent du cockpit. Main sur le pommeau de son sabre, il remonta l'échelle bâbord et pénétra dans le poste de commande.

D'abord, il ne vit rien d'autre que ses deux complices, assis sur leurs sièges. L'espace défilait toujours silencieusement sur le moniteur principal. Puis il aperçut les taches vermillon qui ornaient les bustiers de ses compagnons. Son sang se glaça dans ses veines.

— Ton plan comportait de graves lacunes, mon ami, murmura alors une haute silhouette drapée dans une interminable cape noire.

L'homme avait surgi sans un bruit. Son visage, couvert d'une cagoule, restait dans la pénombre. Malgré cela, Torgar reconnut celui qu'ils appelaient tous respectueusement l'Amiral.

— Par les cornes du *Grand Centaure* ! s'exclama Marsor. Franchement, Torgar, tu croyais t'en tirer ? Par tous les trous noirs de l'espace ! Me trahir, moi ! Semer la discorde

parmi mes lieutenants, frayer avec l'armée impériale… et t'en tirer?

Dans le cockpit, la présence de l'Amiral était imposante. Torgar, pourtant habitué à le côtoyer, eut l'impression d'étouffer.

— Tu ne m'as pas laissé le choix, répondit sourdement Torgar, les mâchoires serrées.

— Tu te trompes! Quand on le veut vraiment, on a toujours le choix.

Marsor rengaina ses pistolets et dégagea la sangle de son sabre. Sûr de lui, il s'approcha de la console de commandement, poussa les deux morts et enclencha le pilotage automatique. Le corsaire spatial prit aussitôt le chemin de la flotte. L'Amiral tourna alors les talons et annonça d'une voix sans timbre:

— Réglons ça tous les deux, dans la soute, tout de suite.

Torgar sursauta. Il avait cru qu'il serait exécuté aussi sommairement que ses deux complices. Ou bien dégradé publiquement en pleine salle des Braves, avant d'être mis en pièces. Au sein de la flotte, le crime de haute trahison se payait dans le sang par une mort sans honneur. Manifestement, peut-être parce que Torgar était son plus fidèle compagnon, presque son frère d'armes, le grand Marsor faisait aujourd'hui une excep-

tion. « C'est sa dernière erreur », songea le traître.

Confiant l'appareil à l'ordinateur de navigation, ils descendirent dans la soute. L'espace restreint, l'éclairage déficient donnaient à la petite salle des allures de morgue. Torgar esquissa un sourire dur sous ses longs favoris. L'Amiral était venu seul. Cette attitude chevaleresque ne le surprenait pas. Marsor avait toujours vécu dangereusement.

Cet affrontement à la loyale était l'ultime chance de Torgar. Il doutait, en effet, que les foyers de révolte allumés sur les principaux navires de la flotte aient eu raison des redoutables Centauriens, les mercenaires surentraînés de l'Amiral.

Il s'élança. Sa lame plongea vers la gorge de l'Amiral. Titanium contre titanium. C'était un ferraillement qu'ils aimaient. La vibration de chaque coup se répercutait dans tout leur corps. Torgar feinta, para une, deux, cinq attaques. L'Amiral approchait de la cinquantaine. Même s'il possédait une énergie hors du commun, même si son autorité naturelle en faisait un chef craint et respecté, c'était un homme fatigué par les combats, par les intrigues, par les soucis. Torgar le connaissait mieux que quiconque.

— Vous n'êtes que des hyènes, lâcha Marsor.

Un instant, Torgar se demanda de qui il parlait. Il essuya la sueur qui perlait sur son front. Malgré sa résistance et sa science du combat, il commençait à se fatiguer. Puis il réalisa que Marsor faisait allusion aux « anciens », aux premiers fidèles. Chacun d'entre eux, en effet, n'attendait qu'une occasion de ravir le sceptre des mains de l'Amiral.

Pour toute réponse, Torgar se mit à rire. Tous craignaient Marsor. Aux quatre coins de l'empire, son nom était synonyme d'épouvante. La police des États indépendants le traquait. L'armée impériale elle-même, ne pouvant l'abattre, avait à plusieurs reprises cherché à traiter avec lui. Mais l'Amiral était un homme de principes. En vérité, personne ne l'avait jamais vraiment compris. C'était une des raisons pour laquelle tant de gens cherchaient à l'abattre.

L'Amiral parla encore mais Torgar ne l'écoutait plus. La voix de Marsor, de plus en plus grave au fur et à mesure qu'avançait le combat – cette voix toujours aussi incroyablement égale comme s'il ne souffrait pas lui aussi en maniant son sabre –, portait sur les nerfs du traître.

La sueur lui brûlait les yeux. Les parois de la pièce tournaient. L'Amiral dansait-il autour de lui malgré l'espace réduit ? Dans un ultime accès de lucidité, Torgar songea à son plan de secours. Brûlant ses dernières forces, il se dégagea et appuya sur le bouton d'activation du système d'éjection. Les rails se mirent en mouvement et le long cercueil jaune fut propulsé hors du corsaire. À la grande surprise de l'Amiral, Torgar se mit alors à rire. Puis, soudain, il hurla de douleur.

Déchirée par un violent coup de sabre, sa clavicule droite craqua sinistrement. Sous la force de l'impact, ses doigts lâchèrent son arme. À cet instant, il rit de nouveau, comme une dernière provocation, un dernier pied de nez à son destin… Un second coup de sabre, ajusté avec précision, le décapita net.

Les heures s'écoulaient lentement dans le coral des femmes où Storine, retenue prisonnière au milieu des esclaves, s'inquiétait pour Griffo. Elle avait beau fermer les yeux et se concentrer sur le lionceau, aucune image n'apparaissait dans son esprit.

La vieille Ysinie lui caressait doucement les cheveux.

— N'aie pas peur, tout va s'arranger…

Comment la vieille esclave pouvait-elle voir sans yeux ? Les femmes échangèrent entre elles un long regard. Les piétinements, les ordres brefs, les tirs de laser qu'elles entendaient résonner dans tout le vaisseau, avaient l'air de décroître. Mais cette mutinerie entre pirates laissait Storine complètement indifférente. Elle se tourna vers Ysinie.

— Peut-être qu'ils l'ont tué.

Ne pouvant supporter l'idée de voir Griffo mort, elle se mit à pleurer.

— De qui parles-tu ? demanda la vieille.

Soudain la porte du coral s'ouvrit dans un bruit de forge. Des relents de poudre et de sueur envahirent la grande salle. Deux guerriers, exténués par les combats, s'approchèrent de l'homme qui surveillait les femmes. Ils chuchotèrent quelques instants puis s'approchèrent de Storine.

— Tu vas venir avec nous.

— Où l'emmenez-vous ? questionna la vieille Ysinie.

Avant de passer la porte du coral, Storine eut le temps d'observer, sur les visages des

deux hommes, une sorte de torpeur fiévreuse qu'elle crut reconnaître... et cela lui redonna espoir.

— Vous me faites mal ! se plaignit Storine.

Elle s'attendait à recevoir une autre taloche, mais les pirates gardèrent le silence. Les coursives du *Grand Centaure* étaient enfumées et grinçaient sinistrement. Ils prirent un turbo-lift qui les conduisit aux niveaux supérieurs, là où la bataille semblait encore faire rage. En sortant de l'ascenseur, Storine butta contre le cadavre mutilé d'un guerrier. Des traces de sang maculaient les murs.

— Où m'emmenez-vous ?

Au détour d'un corridor apparut un grand pirate au visage osseux et aux pupilles de silex aussi étroites qu'une lame de poignard. Son pourpoint de cuir était taché de sang, mais à la façon dont il se tenait, haut et droit, il s'agissait sûrement du sang de ses victimes.

— Voici l'enfant, mon lieutenant.

Le guerrier essuya son long sabre sur le cuir de sa manche. Il régnait à présent un lourd silence entièrement peuplé par l'esprit des morts. Le communicateur du pirate, accroché à son poignet droit, grésilla.

— Krôm ?

— Nous avons la situation bien en main, Amiral, répondit le lieutenant. Les Centauriens ont nettoyé les autres vaisseaux de la flotte. Il reste cependant un dernier détail, mais je m'en occupe personnellement.

Il se plia en deux pour approcher son visage à deux centimètres de celui de la fillette.

— Ce lion blanc… t'appartient ?

Krôm la prit par la main et la conduisit dans une baie d'entretien où se trouvaient plusieurs fidèles guerriers du lieutenant. En les découvrant le teint livide et tremblant de tous leurs membres, Storine comprit que Griffo s'était réfugié dans la baie.

— Regarde ce que ton lion a fait de mes hommes…, déclara Krôm en enveloppant les guerriers d'un geste de la main.

— C'est à cause du glortex, répondit Storine. Vous imaginez ! Griffo est déjà capable de s'en servir !

Une ombre blanche se faufila entre les jambes des hommes terrorisés. Storine reçut Griffo à genoux et enfouit sa gorge dans le pelage du jeune fauve.

11

La salle des Braves

Un brouhaha sauvage emplissait la grande salle. Tout ce que la flotte comptait d'hommes et de femmes importants était réuni, et chacun savait très bien pourquoi...

La salle des Braves était un vaste hémicycle sur deux niveaux, soutenu par un ensemble de piliers torsadés. Au centre s'élevait un dais au-dessous duquel était posé un fauteuil impressionnant, sculpté à la main dans un métal précieux. Les murs disparaissaient sous des fresques représentant des scènes de batailles où des colosses terrassaient d'autres colosses. Le toit, une fine vitre en durallium, laissait voir le spectacle merveilleux de l'espace.

La salle avait souffert des derniers affrontements, et sentait encore la sueur et le sang.

Pour occulter ces sombres vestiges, quelques projecteurs dispensaient une lumière d'ambiance qui atténuait le côté sévère et angoissant de l'endroit. L'hémicycle servait de salle au conseil. Là se réunissaient les lieutenants et les chefs d'unité. Là se forgeaient les projets d'attaques. Là se décidait la vie ou la mort.

Le visage toujours masqué, l'Amiral pénétra dans l'hémicycle. Ses pas résonnèrent sur les dalles d'acier.

— Mes amis, mes braves, mes frères !

Sa voix grave roula aux quatre coins de la salle. Le poing droit crispé, le corps tendu, il jaugeait son état-major. Effrayés par les mesures que l'Amiral allait sûrement prendre à la suite de la récente mutinerie, les pirates s'attendaient au pire. Certains restaient immobiles, hagards. D'autres se tortillaient sur leurs sièges comme de mauvais élèves.

— Vous ne dites rien ! s'exclama l'Amiral. Alors, laissez-moi vous raconter l'histoire des Braves qui devinrent des traîtres.

Il semblait parler avec colère alors qu'en vérité il était calme et décidé à découvrir ceux qui, parmi ses vieux compagnons, s'étaient rangés du côté de Torgar. Était-ce un mouvement général ou bien le projet de quelques fous ambitieux ?

— Qui croit que l'anarchie et la violence peuvent sauver la tête d'un seul d'entre nous ?

Comme personne n'osait répondre, l'Amiral activa une petite télécommande. Derrière son fauteuil, le mur orné de fresques pivota sur lui-même… révélant une douzaine de têtes sanguinolentes, suspendues en apesanteur derrière une grande verrière.

Sa voix domina l'exclamation de terreur qui secoua la grande salle.

— Qui croit que l'armée impériale peut sauver un seul d'entre nous ?

D'un geste théâtral, il releva sa cape et découvrit son bras gauche. Sa main tenait un paquet ensanglanté qu'il jeta sur le sol, au pied de ses hommes. Le paquet se déballa de lui-même. La tête de Torgar rebondit, ses yeux grands ouverts, sa barbe rugueuse et ses longs cheveux roux dégoulinants de sang.

Storine entendit le floc ! pitoyable que fit la tête en heurtant les dalles d'acier. Krôm l'avait amenée avec lui et la tenait par le bras dans l'ombre d'un pilier. Elle-même tenait Griffo qui ne cessait de gigoter, énervé par la présence de toutes ces odeurs étrangères et par celle, plus excitante encore, du sang frais. Soudain, il échappa à l'étreinte de Storine et se jeta sur la tête qui finissait de rouler. Une clameur de surprise parcourut les rangs.

Un moment, le lionceau joua de la patte avec la tête. Puis il planta ses dents dans une joue. Storine s'avança, attrapa son animal par le cou. Les pirates eurent un hoquet général de dégoût. Ils n'étaient pas des enfants de chœur. La mort, ils la connaissaient bien. Pourtant, là, ils restaient saisis d'effroi.

La petite voix cassée de Storine résonna dans l'hémicycle :

— Assez, Griffo ! Assez !

Retenant toujours son jeune fauve, elle s'immobilisa, consciente de tous ces regards braqués sur elle. Contrairement à ses hommes, l'Amiral savait parfaitement contenir sa stupeur et utiliser le moment présent à son avantage.

— Laisse, enfant ! Un lion blanc est une noble créature et la tête d'un traître, hélas, un piteux repas. Mais je la lui donne.

Marsor retira sa cagoule et répéta d'une voix forte en défiant ses hommes :

— Oui, je la lui donne !

Stupéfaite, Storine relâcha la tension sur le cou de Griffo. Celui-ci couina de joie et se jeta sur le reste sanglant qu'il dévora avide-

ment en faisant craquer les os. Certains pirates profitèrent de la demi-obscurité pour se détourner. Mais Marsor les observait. Il avait du chagrin. Lui aussi était dégoûté. Peut-être davantage que ses guerriers. Pourtant, il devait faire un exemple.

Quand Griffo eut terminé, il retourna se frotter contre les jambes de la fillette, couinant pour réclamer des caresses. Storine serra l'animal contre sa poitrine, puis leva les yeux vers le chef des pirates.

Marsor était fasciné, autant par le jeune fauve que par l'enfant qui le serrait contre elle, sa gorge blanche offerte aux babines maculées de sang. Un lourd silence pesait sur l'hémicycle. L'Amiral et la fillette se dévisagèrent intensément, comme s'ils cherchaient à se reconnaître.

D'une voix émue, si basse que Storine fut la seule à l'entendre, Marsor demanda :

— Quel est ton nom, petite ?

Storine se releva. Enfin, sans pouvoir articuler une parole, elle s'évanouit. Bouleversé, le lionceau lui tourna autour et poussa son épaule de son nez humide de sang. Comme l'enfant ne réagissait pas, il prit peur, enfouit ses oreilles pendantes dans le cou de la fillette et se mit à gémir doucement.

Soudain, il s'aperçut que plusieurs hommes et femmes inconnus l'encerclaient. L'instinct reprit le dessus. Il se raidit, retroussa férocement les babines et exposa à la lumière des étoiles ses petits crocs acérés. De sa gorge monta un son effrayant.

Portant leurs mains à leur tête, plusieurs guerriers laissèrent tomber leur sabre. Certains commencèrent même à claquer des dents. Griffo raclait le sol de ses griffes. Une écume rose coulait de sa gueule.

Comprenant le danger, l'Amiral ordonna :

— Reculez ! Reculez tous et rengainez vos sabres !

Puis, les mains nues, il fit un pas vers le jeune fauve. Griffo ne devait pas avoir plus de cinq ou six mois, mais déjà la force de son glortex pouvait, sinon tuer, du moins blesser gravement un homme. Marsor fit un deuxième pas. Il sentait dans l'air le flux invisible de cette étrange force mentale que possèdent les lions blancs.

« Quelle puissance et quelle intelligence, déjà, chez ce jeune lion ! » pensa-t-il.

Griffo dirigea vers cet homme inconnu toute sa rage. L'hémicycle retint son souffle. Le cœur de l'Amiral battait à tout rompre ; une fine sueur perlait sur ses tempes. Sans

qu'il puisse les empêcher, ses mains se mirent à trembler. Marsor n'était plus qu'à un pas de Storine quand, mystérieusement, Griffo s'arrêta de gronder. Tous comprirent qu'il se passait là une chose incroyable. Sans quitter le lion des yeux, Marsor posa une main sur la nuque de Storine. Lentement, il la retourna, tâta son pouls, puis, en faisant très attention à ne pas faire un mouvement brusque, il la souleva dans ses bras.

Quand, chargé de son précieux fardeau, il sortit de la salle des Braves, Griffo le suivit docilement…

12

L'Amiral

À cinquante ans, Marsor était un athlète. Il prenait soin de son corps, mais aussi de son âme. Il avait un beau visage, au teint légèrement cuivré, des traits vigoureux, des yeux très bleus et une crinière d'argent embroussaillée de fils blonds. Comme la plupart de ses hommes, il portait la barbe longue et fière.

Tout jeune, il avait vu ses parents et son frère aîné tués lors d'un assaut des troupes impériales contre la petite colonie où sa famille exploitait une ferme agricole. Orphelin et opportuniste, il avait décidé de parcourir l'empire afin de nourrir son âme. Chaque jour devait lui apporter un enseignement nouveau. Après avoir pratiqué de nombreux métiers et forgé son propre destin, presque

par hasard – mais y a-t-il jamais de hasard ? –, il s'était retrouvé hors la loi. Meneur d'hommes, il avait réuni autour de lui des compagnons et des compagnes de valeur, tous animés du même désir d'aventures et de liberté.

Marsor aimait la vie. Il aimait les femmes, les arts et les sciences. Il aimait aussi le genre humain et sa capacité extraordinaire à toujours chercher à s'élever. En d'autres circonstances, songeait-il, si son enfance ne lui avait pas été aussi violemment arrachée, peut-être serait-il devenu ingénieur, homme de loi ou scientifique. Peut-être même inventeur de génie ! Au lieu de cela, il avait appris l'art de la guerre. S'il n'avait pas tant détesté l'armée impériale, il aurait pu y faire carrière et se retrouver commandor suprême. Quelle ironie ! Mais il ne regrettait rien. Sa vie était à la mesure de ses espérances.

— Alors ? lança-t-il froidement.

L'homme qui se tenait en face de lui, dans le salon de ses appartements privés, était, contrairement à la majorité des guerriers, petit, voûté, frêle et maladif. Son visage rusé tenait davantage du renard que de l'humain. Il avait de grands yeux aux reflets ambrés d'où coulait souvent une humeur empoisonnée qu'il dissolvait à l'aide d'un antidote

contenu dans une fiole en verre. Perfectionniste, déterminé et servile, Urba était un ancien esclave affranchi par Marsor. Depuis, il était devenu son majordome personnel.

— Il semble, maître, que Torgar n'ait pas voulu fomenter la mutinerie pour servir ses propres ambitions. Comme toute sa fortune était cachée à bord du corsaire, je suppose qu'il voulait fuir la flotte.

— De quoi donc avait-il peur ? laissa tomber Marsor en contemplant l'espace qui scintillait au-delà de la baie vitrée.

Urba ne répondit pas, car Marsor se posait la question à lui-même. L'Amiral, d'ailleurs, connaissait parfaitement la réponse. Torgar et lui avaient eu de nombreuses divergences de vue. Le premier lieutenant, d'une nature violente et sadique avait commis avec ses hommes des excès impardonnables, particulièrement lors des dernières attaques.

À cause de cela, bien que jouissant d'une réputation presque légendaire, la flotte était traquée de toutes parts. Pour l'Amiral, l'espace ressemblait à un piège immense qui, un jour ou l'autre, se refermerait impitoyablement sur lui et sur ses hommes. La grande armée qu'il avait créée était une mini-société avec ses structures, ses règles complexes et ses points faibles. « Un colosse aux pieds d'argile », songea Marsor.

Torgar avait proposé une série d'attaques fulgurantes mais très lucratives, puis la dissolution de la flotte. Chacun pourrait alors se retirer discrètement, avec une bonne part de butin, loin des persécutions des autorités. Au contraire, Marsor pensait que davantage de violence ne résoudrait rien. Et puis, dissoudre la flotte signifierait la fin de leur rêve à tous.

Des centaines de guerriers et de guerrières, mais aussi des hommes et des femmes de tous les corps de métiers, se verraient livrés à eux-mêmes. Sans cohésion, sans organisation, traqués comme des bêtes, ils finiraient assassinés ou bien enfermés à vie dans des cachots. Quant aux esclaves, les lois de la piraterie étaient sans équivoque. En dernier recours, si la flotte tombait aux mains de l'ennemi, pour éviter les dénonciations et les témoignages gênants, ils devraient être exécutés jusqu'au dernier. Marsor préférait ne pas y songer.

Cette série de désaccords avait finalement poussé Torgar à la trahison. Par contre, que Torgar ait songé à se mettre sous la protection de l'armée impériale jetait Marsor dans

une colère noire. Qu'avait-il bien pu promettre aux autorités pour obtenir cette protection ? Des codes ? Les emplacements de leurs ports de ravitaillement ? Les noms de leurs complices aux quatre coins de l'empire ? L'endroit secret où les lieutenants de la flotte cachaient leur butin ? Et, bien sûr, des informations sur l'origine même de la puissance de l'Amiral…

— As-tu découvert ce que Torgar a éjecté du corsaire, juste avant de payer pour sa trahison ?

Urba se voûta un peu plus.

— Hélas, Amiral, nos senseurs n'ont pu retracer la trajectoire de ce conteneur. Quant à savoir ce qu'il y avait dedans…

Marsor le renvoya d'un geste las… puis se ravisa.

— Oh ! à propos. Et pour l'enfant ?

Urba se rembrunit. Il n'aimait pas cette gamine qui s'était introduite dans l'univers de son maître. À contrecœur, il lui raconta ce qu'il avait appris sur elle en interrogeant les esclaves du bord.

— Et nos hommes ont, à leur tour, enlevé cette petite fille au commandor ? demanda Marsor en se grattant la barbe.

— Pas… exactement, maître. Il semblerait que l'enfant, voulant échapper à son ravisseur, ait profité des troubles causés par la mutinerie pour monter d'elle-même à bord du *Grand Centaure*…

L'Amiral serra les dents. Il n'avait pas aimé que le *Grand Centaure* fut mêlé à la destruction d'un croiseur planétaire.

— L'enfant vivait sur Ectaïr, n'est-ce pas ?

— C'est exact. Dans une réserve de lions blancs, avec ses grands-parents.

— Que sont devenus ses grands-parents ?

— Assassinés.

Marsor s'immobilisa, puis demanda :

— Quel est le nom de cette enfant ?

— Storine.

— Et son âge ?

— Onze ans. Peut-être douze.

— Connais-tu le nom de ce commandor ?

— La petite l'ignorait. Elle dit seulement qu'il avait des yeux de braise, des sourcils très fournis, et qu'il était accompagné d'un colosse idiot.

Les yeux de Marsor s'agrandirent de surprise. Il les ferma ensuite longuement pour réfléchir.

— Comme toujours, Urba, tu es le plus précieux des collaborateurs. Laisse-moi seul maintenant.

Marsor et le commandor Sériac Antigor se connaissaient de longue date. « Il doit y avoir neuf ans... » l'Amiral chassa les scènes qui lui revenaient à l'esprit, les accusations de tueur d'enfants. C'était d'ailleurs à cette époque que l'opinion publique avait commencé à ne plus considérer Marsor et les siens comme des victimes de la société, comme des héros, mais plutôt comme des monstres assoiffés de sang. « Nous sommes des hommes et des femmes qui avons décidé de fuir la corruption de l'empire pour vivre autrement, c'est tout », songea Marsor.

Mais en était-il persuadé ? N'étaient-ils pas devenus, dans l'esprit des masses ainsi qu'à leurs propres yeux, ces monstres dépeints par les médias ? « À force d'être submergés par la propagande menée par l'empire, les peuples finissent par croire n'importe quoi », se dit Marsor. Néanmoins les expéditions qu'il lançait contre les riches vaisseaux de marchandises se soldaient souvent, du côté des marchands, par d'importantes pertes en vies humaines.

Ses pensées, après avoir fait le tour de la situation, revinrent à la jeune Storine. Dès le premier regard, cette fillette l'avait fasciné. Pas

seulement à cause du jeune lion. C'était… autre chose. Il décida d'y réfléchir mais plus tard. Pour l'instant, avec cette récente mutinerie, il avait d'autres priorités.

13

Le coral des femmes

Storine fut conduite à l'infirmerie. Pendant trois jours, une esclave s'occupa d'elle avec dévouement et gentillesse. On la soigna, nourrit, baigna et habilla d'une longue robe mandarine un peu rêche qui jurait avec la couleur de ses cheveux, aux manches bouffantes et au col sévère, serrée à la taille par une simple corde de lin. Puis un guerrier la reconduisit au coral des femmes.

La vieille Ysinie s'approcha de la fillette endormie.

— Storine ! C'est l'heure…

L'heure de quoi ? La fillette n'en avait pas la moindre idée. Elle détestait cette odeur fétide de saleté et d'urine. Sur Ectaïr, elle se lavait tous les jours et se parfumait volontiers. Oh ! elle courait aussi dans le parc avec

Griffon et Croa. Mais ça ne l'avait jamais empêchée d'aimer la propreté. Et puis, grand-mère ne badinait pas avec le savon ! Cette pensée lui amena les larmes aux yeux. La voix douce de la Vieille-Sans-Yeux lui demanda de nouveau de se lever.

— Aujourd'hui, je vais te montrer comment tu vas te rendre utile à bord.

Storine ronchonna, enroula son oreiller autour de sa tête. Se rendre utile ? Pas question. On l'avait enlevée. Elle ne souhaitait qu'une chose : qu'on la ramène sur Ectaïr où Santorin devait remuer ciel et terre pour la retrouver.

Une brûlure sur sa nuque la fit hurler de douleur.

— Alors ! On veut faire la grâce matinée ! On a une petite santé ! On veut se faire apporter son petit déjeuner au lit !

La voix était artificiellement sucrée. Tout autour, les femmes s'esclaffèrent. Storine se retrouva nez à nez avec cette grande femme en combinaison de cuir qui l'avait frappée la première fois qu'elle s'était réveillée dans ce dortoir. Son visage, encadré d'une chevelure noire luisante ramenée sur les tempes par un lourd bandeau de métal, reflétait un dédain

qui donnait froid dans le dos. Preuve qu'elle savait manier le sabre, une longue balafre creusait sa joue droite de l'arcade sourcilière au menton, ce qui la faisait toujours un peu cligner de l'œil. Ses yeux violets étaient les seuls vestiges de son ancienne beauté.

— Je m'appelle Astrigua et je suis la maîtresse des esclaves.

Elle planta ses ongles dans le bras de Storine et la jeta à bas de sa couchette.

— Je ne suis pas une esclave, déclara Storine en soutenant le regard perçant d'Astrigua.

La guerrière lui asséna un coup de pied dans les côtes.

— Tais-toi. Ysinie, tu es responsable de cette souillon !

La Vieille-Sans-Yeux prit un air renfrogné, comme si cette obligation lui pesait. Mais, en son for intérieur, elle s'en réjouissait. Quand Astrigua eut tournée les talons, Storine se releva, frotta ses côtes endolories et répéta :

— Je ne suis pas une esclave !

Mais heureusement pour elle, Astrigua était déja sortie du dortoir.

— Je t'en prie, petite, la supplia Ysinie. Si tu veux survivre à bord, obéis.

Storine rendit aux autres femmes leurs regards venimeux, puis elle fixa la vieille esclave. Comment faisait-elle pour « voir » sans yeux ? Quand elle se dirigea vers les latrines, toutes s'écartèrent.

Le *Grand Centaure* était un bâtiment gigantesque. Toujours à la proue de la flotte pirate, il effrayait l'ennemi par son apparence massive et par ses quatre cornes éblouissantes. Ces cornes faisaient la fierté de l'Amiral, car elles étaient équipées d'un rayon si puissant qu'il transperçait les blindages les plus résistants. Ce rayon, dont la source d'énergie et le fonctionnement comptaient parmi les secrets les mieux gardés de l'Amiral, constituait pour les pirates eux-mêmes une énigme fascinante.

Véritable forteresse ambulante, le vaisseau comptait quatorze ponts, une cinquantaine de canons laser, une vingtaine de tourelles pour les combats rapprochés et plus de mille cinq cents pièces au total. Cependant, loin de constituer un bâtiment de luxe aux cales remplies de butin comme le laissaient entendre les journalistes, le *Grand Centaure* était fonctionnel avant tout et presque spar-

tiate dans sa décoration, à l'exception de quelques salles d'apparat, comme la salle des Braves, destinées à impressionner les alliés de l'Amiral.

Storine était franchement déçue. Depuis des heures qu'elle déambulait dans les coursives de ce vaisseau légendaire, elle n'y retrouvait rien de ce qu'imaginaient les romanciers de l'empire.

La fillette n'avait jamais prêté beaucoup attention aux ragots des médias. Mais, à son école, on parlait de Marsor comme d'un égorgeur, et du *Grand Centaure* comme d'un vaisseau rempli de richesses mystérieuses.

— Pourquoi cette grimace, Storine? demanda Ysinie. À cause du *Grand Centaure*?

En vérité, la fillette avait le cœur au bord des lèvres. Sans répondre à la question, elle souffla sur les mèches orangées qui lui tombaient sur le front.

— C'est quoi ce bruit sourd qu'on entend toujours?

— Les moteurs, répondit Ysinie. On voyage très vite dans l'hyperespace.

— On dirait un gros estomac en train de digérer.

Cette pensée lui donna encore plus l'envie de vomir.

Le vaisseau comptait trois cents guerriers, hommes et femmes. Chacun bénéficiait de quartiers composés d'une ou deux chambres, d'un bureau, d'un salon et d'une pièce d'eau. Les niveaux supérieurs, comme dans tous les bâtiments de la flotte, étaient réservés aux pirates. Trois immenses salles à manger accueillaient cette masse d'hommes et de femmes rudes et violents qui ne respectaient aucune des lois en vigueur dans l'empire. Seule l'éthique de la piraterie comptait pour eux. Bien sûr, ce code ne s'appliquait pas aux esclaves.

— Combien ? demanda Storine, stupéfaite.

— Plus de mille dans toute la flotte.

— Mille esclaves !

— Chaque pirate en possède plusieurs. Il y a de nombreuses femmes, tu imagines… Et très peu de vieillards.

— Mais, et toi ?

Spontanément, Storine avait choisi de tutoyer la vieille Ysinie. Au début, elle avait eu du mal à s'habituer à ce visage rongé par les ans, auquel il manquait les dents et surtout les deux yeux ! Mais, de plus en plus, elle se sentait en confiance avec elle. Sa douceur et sa logique lui rappelaient beaucoup sa grand-mère.

— Tiens ! s'étonna Storine, on n'entend plus les moteurs.

— Moi, je suis une exception, poursuivie Ysinie sans commenter la remarque de la fillette. On m'a donnée à Marsor. Comme mon maître était une de ses connaissances, l'Amiral a accepté de me prendre. Pour lui rendre service…

Sa voix se brisa et Storine sentit que l'évocation de ce souvenir faisait souffrir la vieille femme. Avec l'inexpérience et la curiosité de son âge, elle insista :

— Tes yeux, comment c'est arrivé ? Et comment tu fais pour voir et marcher normalement ?

Ysinie profita de ce qu'elles arrivaient devant une baie vitrée pour distraire l'attention de la fillette.

— Regarde !

La coursive donnait sur une plate-forme au-delà de laquelle scintillait l'espace. Storine se précipita. Elle reçut un coup au cœur et sentit des larmes lui piquer les yeux. Elle prit une grande inspiration, comme pour se repaître du spectacle.

Toutes plus belles les unes que les autres, avec leurs corolles rouge et bleu, les nébuleuses s'étiraient sur des milliers d'années-lumière. Au milieu de ces immenses nuages de poussière stellaire brillaient de petites lumières, comme autant de pierres précieuses sur une étoffe bariolée.

— Par les dieux de la galaxie, que c'est beau !

C'était la première fois de sa vie que l'enfant contemplait l'espace infini.

Après être sortie du système de Branaor dans lequel orbitait la planète Ectaïr, la flotte avait mis le cap sur les États sauvages de Phobia, un système planétaire situé à cinq années-lumière d'Ectaïr. Les voyages interstellaires prenaient des semaines et même des mois. À l'école, Storine avait appris qu'un vaisseau partant d'Ectaïr mettait environ quinze semaines pour rallier Ésotéria, la capitale de l'empire. Pour raccourcir ce délai, il aurait fallu rester tout le temps dans l'hyperespace, ce qui était scientifiquement et physiologiquement impossible.

À bord du *Grand Centaure,* l'accès aux différents ponts était sévèrement contrôlé. L'unité des « Lions blancs » constituait la garde personnelle de l'Amiral. L'analogie fit sourire Storine.

— Pourquoi appeler cette bande de pirates les « Lions blancs » ? demanda-t-elle.

— Chaque unité a un emblème, qui représente toujours un animal puissant. L'unité de Torgar (que les dieux atomisent son âme dans l'espace ! murmura la vieille femme après avoir tourné la tête à gauche puis à droite) avait les « Taureaux de Capriarcus » pour emblème. Celle de l'Amiral est appelée les « Lions blancs ».

Pour la vieille femme, tout ceci était évident. Cependant, elle prenait plaisir à répondre aux questions de la fillette.

— Sur Ectaïr, je me rappelle que Santorin me disait que le lion blanc était l'emblème de… de… du Grand Unificateur Érakos et du prophète, heu… Étyss quelque chose.

— C'est aussi l'emblème que s'est choisi l'Amiral.

Storine pouffa de rire. Elle trouvait ridicule et prétentieux de la part des pirates de se donner de l'importance en se faisant représenter par tel ou tel animal, et surtout par le lion blanc.

Une guerrière vint à leur rencontre à grandes enjambées, comme si elle voulait leur marcher dessus.

— Halte, esclave ! Que fais-tu dans ce secteur du vaisseau ?

La vieille Ysinie présenta son laissez-passer en courbant la tête pour bien montrer qu'elle se soumettait. Depuis qu'elles avaient quitté le coral des femmes, Storine l'avait souvent vue agir ainsi devant les pirates. La fillette, elle, refusait d'accepter sa condition d'esclave. Aussi, elle fixa la femme pirate droit dans les yeux.

Sa compagne trembla pour l'enfant. Un guerrier avait le droit de la tuer pour moins que ça. Pourtant, ceux ou celles qu'elles avaient croisés n'avaient pas relevé l'insolence, ce qui était à la fois insolite et effrayant. Quand elles furent à nouveau seules, Storine déclara :

— J'ai vu de la peur dans les yeux de cette femme. Pourquoi ?

Ysinie se recroquevilla davantage.

— J'ai entendu les rumeurs…

— Quelles rumeurs ?

— Ton lion.

Il y avait du respect dans la voix de la vieille femme, mais aussi de la crainte.

— Ton lion, poursuivit-elle en avalant sa salive. On raconte qu'il a dévoré la tête de Torgar en pleine salle des Braves.

— C'est vrai ! Mais c'est pas ma faute, se défendit Storine. D'abord, il avait très faim. Ensuite, cet… Amiral comme tout le monde l'appelle, il a dit qu'il donnait la tête à Griffo. Et puis, une tête, c'est pas beaucoup pour un lion blanc. Même si Griffo est encore tout petit.

Ysinie frissonna devant la logique primitive de la fillette.

— C'est pour ça qu'ils ont peur de moi ? demanda Storine.

La Vieille-Sans-Yeux la prit par les épaules et la força à regarder ses orbites évidées.

— Ma petite fille, tu ne te rends pas compte de ce que tu dis. Pour eux, ce n'est pas normal d'avoir peur de quelqu'un. Tu devrais faire très attention à toi et à ton… lion.

— Il s'appelle Griffo, rectifia Storine d'un ton sec.

Elle s'en voulut aussitôt d'avoir été méchante.

— Mais pourquoi ? demanda-t-elle encore, radoucie.

— Parce que le temps du serment des Braves approche. Chaque année, les guerriers renouvellent leur serment de fidélité envers l'Amiral. À cette occasion, chacun reçoit de lui une récompense selon ses mérites.

— Et alors ?

— Tu ne te rends pas compte ! s'emporta la vieille femme en faisant de grands gestes. Je suis certaine que plusieurs vont demander ton li… Griffo en cadeau.

— Jamais ! s'écria Storine hors d'elle. Griffo est à moi ! À moi toute seule !

— Ils vont se battre entre eux pour avoir le droit de le posséder, crois-moi. Et…

— Et ?

— Ils vont se battre pour t'avoir, toi aussi.

Storine devint très pâle.

— Jamais. Jamais ! Je préfère m'enfuir. Ces gens sont cruels. Je déteste ce vaisseau. Je déteste tout le monde.

Son petit visage triangulaire prit un air buté et ses grands yeux verts s'assombrirent jusqu'à devenir presque noirs. Impuissante, Ysinie secoua la tête.

— On ne s'échappe pas du *Grand Centaure*, petite. Pas vivant, en tout cas.

— Moi, je réussirai ! décida Storine.

Ysinie prit la fillette par le cou et l'attira contre elle.

— Tu vas bien ? Tu trembles…

Storine se laissa aller contre l'épaule de la vieille femme.

— J'ai… la tête toute chaude et j'ai envie de vomir…

— C'est le *Grand Centaure* qui te fait ça. C'est la première fois que tu voyages dans l'hyperespace ?

— Oui.

— Alors, ça va passer. Il faut que tu t'habitues, c'est tout.

Elle sourit. Sa bouche sans dents était effrayante. Pourtant, c'était un vrai sourire. De sa poche, elle sortit une carte magnétique qu'elle glissa dans la main de Storine.

— Qu'est-ce que c'est ?

— La clé de l'alcôve où est enfermé Griffo. Pour que tu prennes soin de lui.

Une immense bouffée de joie submergea la fillette.

— C'est… vrai ?

— Oui.

— Maintenant, suis-moi. Je vais te montrer ce que tu dois faire pour payer ta nourriture.

Storine était heureuse. Pour la première fois depuis… depuis… Elle ne chercha pas à se souvenir. Ysinie souriait. La fillette aimait beaucoup cette vieille femme. Et elle avait dans sa main de quoi être auprès de Griffo tous les jours. Marchant joyeusement derrière la Sans-Yeux, elle en oublia tout le reste.

14

La haine

« Passer sa journée à nettoyer des kilo-mètres de couloirs et à désinfecter des latrines puantes ! Si c'est ça l'esclavage, se dit Storine, c'est pas pour moi. »

La vieille Ysinie lui avait mis entre les mains un étrange instrument qui projetait un rayon lumineux grâce auquel la saleté la plus tenace était dissoute.

— Surtout n'approche pas ta main ou quoi que ce soit d'autre de ce rayon. Il te brûlerait jusqu'à l'os.

Puis elle l'avait laissée en compagnie de deux autres esclaves, dont une fille hirsute et grincheuse, un peu plus âgée qu'elle, qui ressemblait à un grand cheval efflanqué.

Au bout d'une demi-heure, Storine en avait plus qu'assez de se courber en deux

pour diriger le rayon nettoyeur dans les coins et de supporter les jérémiades de ses compagnes de travail. Elle vérifia qu'elles n'étaient pas surveillées, puis elle laissa carrément tout en plan et s'en alla.

Sur Ectaïr, Storine passait des journées entières dans la nature, aux côtés de Griffon et de Croa. D'instinct, elle mémorisait les détails du paysage qui, plus tard, lui serviraient de points de repère. Elle connaissait chaque sente, les habitudes de chaque animal. Elle se guidait surtout à l'odorat et avait développé un sens aigu de l'orientation.

Après avoir quitté son corridor crasseux, la fillette n'eut aucun mal à revenir sur ses pas. Quand elle hésitait, elle s'arrêtait. Et plutôt que de consulter les plans en trois dimensions accrochés aux murs, elle fermait les yeux et laissait son esprit pénétrer les lieux. Lorsque l'image de Griffo apparaissait dans sa tête, elle savait où se diriger.

Elle croisa quelques pirates arrogants vêtus de leurs superbes pourpoints ouvragés. Son cœur sauta dans sa poitrine. « Calme-toi, Sto ! Respire. » Il ne fallait pas montrer sa peur. Jamais. Les hommes la dévisagèrent sans manifester apparemment de crainte ou d'avidité. Storine repensa aux paroles de la

vieille Ysinie. « Elle est bien gentille, songea-t-elle, mais elle raconte vraiment n'importe quoi ! »

C'est ainsi qu'elle retrouva le corridor du coral des femmes, puis l'alcôve où Griffo était enfermé.

Une grande esclave se tenait devant la paroi vitrée de l'alcôve, un seau rempli de viande sanguinolente à la main. La femme était paralysée de frayeur. Visiblement, on l'avait chargée de nourrir le fauve, mais elle n'osait pas ouvrir la vitre de protection.

— Je peux le faire si tu veux ? demanda Storine.

L'esclave n'eut pas l'air de comprendre. Ce n'était pas la première fois que la fillette se heurtait ainsi à l'incompréhension. On parlait une bonne vingtaine de langues et de dialectes à bord du *Grand Centaure*. Comme personne ici ne semblait comprendre l'ectaros (la première langue qu'elle avait apprise sur Ectaïr avec ses grands-parents), elle essaya l'ésotérien, langue officielle de l'empire, mais elle n'eut pas plus de succès.

En désespoir de cause, Storine passa sa carte magnétique dans la fente de la porte. Affolée, l'esclave laissa tomber le seau et s'enfuit à toutes jambes.

« Finalement, se dit Storine en riant, le résultat est le même ! »

Et elle reçut Griffo contre sa poitrine.

Dans une pièce attenante à la salle des Braves, Marsor consultait ses lieutenants. La flotte pirate comprenait au total une centaine d'appareils de taille, de puissance et d'importance différentes. Elle était divisée en six unités, chacune placée sous l'autorité d'un lieutenant. Chaque unité se trouvait ensuite subdivisée en douze escadrons commandés chacun par un maître pirate.

La dernière mutinerie ayant entraîné la chute de deux lieutenants dont les têtes se balançaient dans la salle des Braves, l'Amiral avait dû les remplacer au pied levé. Cinq énormes barbus, portant les insignes de leurs unités, lui faisaient face. Ils représentaient les Tigroïdes de Zoltaderks, les Orsonautes d'Émétys, les Féliandres d'Epsilodon, les Tricornes de Batravia et les Taureaux de Capriarcus. L'Amiral étant le supérieur immédiat des Lions blancs d'Ectaïr, le nouvel état-major était réuni au grand complet.

Dans un coin, le majordome Urba, vêtu d'une livrée roux et noir, servait de greffier. Il feignait d'être concentré sur son lecteur électronique. En réalité, il scrutait chaque lieutenant, à l'affût du moindre signe de duplicité.

Dans la salle planait une gêne presque palpable, ainsi qu'une désagréable odeur de cuir mouillé et de sueur. Marsor venait de rendre officielles les nouvelles nominations, mais son autorité, battue en brèche par la mutinerie de Torgar, rendait chacun soupçonneux. Malgré tout, il entendait bien conduire son conseil comme si rien ne s'était passé.

— Passons maintenant au point suivant, déclara-t-il. Urba !

Le majordome-greffier énonça, d'une voix claire, un texte préparé, on le devinait bien, avec le plus grand soin.

— La caravane en provenance de Sygma 4, planète minière du système de Thessalan, et son important chargement de brinium destiné aux usines d'Ebraïs.

— Nos informateurs, reprit Marsor, parlent de plusieurs tonnes de minerai déjà en partie raffiné. Au taux du marché sidéral actuel, il y en a pour plusieurs centaines de

millions d'argon pur. Une sacrée aubaine pour nous !

— Savons-nous de combien de bâtiments d'escorte la caravane est pourvue ? questionna Krôm, le nouveau bras droit de l'Amiral.

— Six croiseurs de classe B-12, plus un nombre indéterminé de petits chasseurs planétaires.

— Pourquoi ce changement de plan ? demanda Acrygène, le nouveau lieutenant des Taureaux.

Un froid tomba dans la salle. Conscient d'avoir commis une bévue, il baissa la tête.

Dans quelle mesure Torgar avait-il pu informer l'armée impériale de leurs projets immédiats ? Afin d'être certain de ne pas tomber dans un guet-apens, il convenait de changer immédiatement de stratégie.

— L'ennui, reprit Urba, toujours pointilleux sur les détails financiers, c'est que nos émissaires de Thessalan, prétextant les risques encourus, haussent leur commission. Ils veulent trois pour cent de plus.

Un grognement général se fit entendre. La discussion se poursuivit pendant quelques minutes. Puis, ayant écouté les recommandations de chacun, l'Amiral se retira comme à son habitude pour décider du meilleur

moyen d'intercepter la caravane en exposant le moins possible sa flotte.

Storine avait bien fait la leçon à Griffo. S'il voulait manger, il fallait qu'il soit propre et obéissant. À genoux dans l'alcôve, vitre grande ouverte, elle plaça le seau de viande derrière elle. Prenant dans sa main droite un lourd morceau de ce qui devait être de la chair de godrille des montagnes, elle le tendit au lionceau.

Des images de chasse défilèrent devant ses yeux. La plaine, les immenses troupeaux de godrilles. Le combat violent mais noble qui opposait deux ou trois godrilles à un grand lion blanc. La victoire du fauve. Son rugissement de joie et le dépeçage qui s'ensuivait. Le sang du godrille était encore chaud. Sa viande récompensait le vainqueur, qui s'abreuvait ainsi de la puissance éthérique même de sa victime. Storine, qui avait souvent assisté à ce genre de chasse, sentait qu'il existait des liens presque magiques entre les fauves et leurs proies. Ces liens témoignaient d'une loi équitable puisqu'une fois le lion mort et retourné à la terre sous forme d'engrais, le godrille, herbivore, se nourrissait à son tour du fauve. La fillette regarda la viande froide et morte dans sa main. Ce godrille-là n'avait pas été tué selon les rites naturels. Sa viande allait-elle pouvoir nourrir aussi l'âme de son petit lion ?

Celui-ci, bien qu'affamé, regardait sa maîtresse en agitant la queue. Storine sortit de sa transe. Main gauche ouverte et tendue devant le nez du fauve, elle demanda joyeusement :

— Est-ce que tu as été un bon lion ?

Un coup d'œil à sa paillasse crottée la fit grimacer. Comme Griffo commençait à gronder, elle ferma le poing. Le lionceau se précipita sur la pièce de viande.

— Aïe ! Griffo ! Vilain lion !

Un doigt égratigné par une dent, Storine se mordit les lèvres de douleur. Plantant ses yeux dans les pupilles écarlates du jeune lion, elle concentra sur lui toute son autorité.

— Arrête ! Stop !

Sa voix, éraillée et déjà profonde, résonna dans le corridor. Tendu, les sens en alerte, Griffo s'arrêta de mâcher. Storine le bouscula et lui montra son doigt d'où perlaient quelques gouttes de sang. Puis elle lui arracha la viande de la gueule. Sa paume gauche

ouverte sous son nez, elle lui tendit à nouveau le quartier de viande de sa main droite. Le sang du godrille se mélangea à celui de la fillette.

— Maintenant, prends-la. Mais comme un lion bien élevé.

Griffo ne remuait plus la queue. Son regard était fixé sur le morceau de viande. De la bave coulait de sa gueule. Qu'allait-il se passer ? L'homme, adossé au mur dans l'obscurité, à cinq pas de l'alcôve, se le demandait. Griffo se mit à gronder. À genoux devant le fauve, l'enfant ne cilla pas. Griffo s'approcha lentement et, sans quitter le regard de sa petite maîtresse, il vint prendre délicatement la viande de godrille dans sa main.

— C'est bien, mon bébé, l'encouragea Storine.

Les uns à la suite des autres, elle lui donna les morceaux de viande. Griffo les lui prit dans la main sans qu'aucune de ses dents n'effleure la peau délicate de l'enfant.

Quand il eut tout dévoré, le lionceau réclama un câlin. Il lécha le doigt blessé, se mit à couiner et à gémir. Storine le berça contre elle. Il venait de lui promettre de ne plus la blesser, même sans le vouloir. Cela, elle l'avait très bien compris.

— J'ai tellement hâte que tu sois un lion aussi grand et aussi fort que ton papa. Alors, je monterai sur ton dos et tous les deux, on ira plus vite que le vent.

L'homme qui les observait recula sans faire le moindre bruit. Griffo se remit à gronder. Storine demanda tout haut :

— Il y a quelqu'un ?

Marsor préféra ne pas se montrer. Il fit demi-tour, heureux d'avoir porté ses pas vers le coral des femmes. Il savait maintenant pourquoi il était venu, alors qu'il ne descendait jamais aux ponts inférieurs. Oui, il savait. Et il se félicitait aussi d'avoir fait remettre la carte magnétique à la petite…

Storine détestait l'idée de rentrer au coral des femmes. Pas seulement parce qu'elle avait désobéi à Ysinie. Celle-ci était son alliée. Seulement, cet endroit lui soulevait le cœur. La fillette ne songeait pas aux conséquences de sa désobéissance. Elle avait revu Griffo, l'avait nourri, avait nettoyé sa cage. Il lui avait fait la fête. Rien d'autre ne comptait.

Storine s'arrêta soudain. Que devenait le seul ami qu'elle ait jamais eu ? Santorin la cherchait-il encore ? Avait-il abandonné ?

Elle sentit les larmes lui monter aux yeux. Mais il ne fallait pas pleurer. D'ailleurs, elle arrivait au coral.

La porte coulissa avec un grincement à vous faire dresser les cheveux sur la tête. Storine repéra aussitôt la douzaine de femmes aux visages aigris dont elle ne voulait pas apprendre les noms, tellement l'endroit la dégoûtait. Un lourd silence tomba, troublé seulement par les grondements sourds des puissants moteurs.

Des relents d'odeurs corporelles et de linge sale assaillirent les narines sensibles de la fillette. Storine s'adossa à la paroi, défia les mines sombres et croisa les bras sur sa poitrine. Le mur était froid dans son dos. Un léger frémissement indiquait que le grand vaisseau fendait l'hyperespace de ses quatre cornes étincelantes.

Les femmes semblaient hésiter. Storine sentait qu'elles la haïssaient. Pourquoi ? Ysinie avait vaguement parlé de ces fameuses rumeurs qui circulaient entre esclaves, à bord de chaque appareil de la flotte. La fillette avait déjà une réputation. Sa présentation à l'Amiral, dans la salle des Braves, y était pour quelque chose. Et puis, il y avait aussi le jeune lion blanc. Sur Ectaïr, Storine avait suscité

bien des jalousies. Hier encore, cette haine féroce lui aurait fait de la peine. Mais, depuis la mort de ses grands-parents, quelque chose s'était brisé en elle.

Soudain, le groupe s'ouvrit de lui-même, révélant le lamentable spectacle. Une fille sale était juchée à cheval sur une vieille femme, couchée sur le dos. Storine reconnut Ysinie. Son sang ne fit qu'un tour quand elle reconnut la fille, celle-là même avec laquelle elle avait travaillé !

L'adolescente se mit debout après avoir donné un dernier coup de pied à Ysinie. Il se dégageait d'elle, Storine le sentit immédiatement, beaucoup de haine et de violence. Sa longue chevelure d'un blond terne, noueuse et rêche comme de la corde, entourait un visage maigre terminé par une mâchoire proéminente. Storine crut tout d'abord que le blanc de ses yeux était injecté de sang. Mais elle s'aperçut bien vite que les pupilles elles-mêmes étaient incandescentes. Elle avait un grand corps dégingandé et maigre sous la camisole de lin blanc, et les os de ses bras saillaient dangereusement. Mais ce qui frappa le plus Storine, c'était la couleur de sa peau, rosée et tendre comme les pétales d'une fleur.

Les femmes formèrent deux rangées. Une excitation sauvage se lisait dans leurs yeux. « Qu'est-ce que je fais là ? » se demanda la fillette. L'une d'elles poussa la furie dans le dos, l'encourageant dans une langue que Storine ne comprit pas mais dont, étrangement, elle devina le sens.

La fille commença à l'insulter, à la provoquer. Storine avait souvent observé les gauroks dans le parc impérial. Les mâles se bramaient des choses horribles dans les oreilles juste pour se mesurer l'un l'autre. Instinctivement, Storine s'éloigna du mur. L'autre se détendit et la frappa du plat de la main, en plein menton. La surprise coupa le souffle à la petite et sa tête percuta la paroi d'acier. Un liquide gluant envahit sa bouche.

Elle n'eut pas le temps de se relever que déjà, l'adolescente se jetait sur elle, toutes griffes dehors. Storine ne vit que ses yeux. Rouges. Brûlants. Elle pensa aussitôt à Griffon. Alors, le feu, qui couvait dans ses veines, l'envahit. Son ennemie était peut-être plus grande, plus forte, plus âgée qu'elle, mais Storine se sentait habitée par l'âme du grand lion blanc.

Son rythme cardiaque s'accéléra. Une flamme jaillit de son ventre, fouetta son corps,

inonda son cerveau. Sans vraiment s'en rendre compte, elle souhaita la mort de cette fille haineuse.

Un cri atroce s'éleva. Stoppée net dans son élan, la fille porta les mains à son visage comme s'il était soudain broyé par un géant invisible. Tremblant de tous ses membres, ne comprenant pas ce qui lui arrivait, elle se recroquevilla au sol sous les regards effrayés des autres femmes. Enfin, elle s'évanouit en râlant comme un animal blessé.

Toujours immobile, Storine rouvrit les yeux. Elle avait eu très peur elle aussi. Pendant quelques instants, elle avait cessé d'être humaine pour se transformer en un fauve redoutable. Elle ne le réalisa pas sur le coup, mais elle venait d'expérimenter la première manifestation de son propre glortex.

Storine courut s'agenouiller près de la vieille Ysinie. Vivait-elle encore ?

Les portes du dortoir s'ouvrirent avec fracas. Storine ne fit pas attention à la sourde plainte des femmes terrifiées.

— Ysinie ! réponds-moi !

Elle n'entendit que le claquement du fouet, au-dessus de sa tête, juste avant que la lanière électrifiée ne lui brûle la chair.

15

Eldride

L'Amiral avait décidé de déployer ses bâtiments en « tenailles ». C'était une vieille méthode de combat, mais elle se révélerait d'autant plus efficace qu'elle était oubliée de tous. Encore une fois, malgré l'apparente confusion des préparatifs, chaque détail serait réglé avec le plus grand soin.

Tacticien de génie, Marsor n'avait, en vingt-trois ans de pillage, jamais connu d'échec. Ses méthodes changeaient selon le type d'attaque envisagé, la topographie de l'espace, les forces défensives de l'adversaire et le genre même d'appareil et de cargaison. La coordination entre les différentes unités de la flotte pirate devait être réglée comme un ballet.

Il était rare que l'Amiral engage toutes ses forces dans la bataille. L'important était de bien établir le périmètre spatial à l'intérieur duquel ses croiseurs pourraient se déployer. Ils créeraient ensuite un champ d'énergie qui brouillerait les radars de l'adversaire.

Dans ce cas précis, l'Amiral ferait lancer, à plus de quatre-vingts sillons de distance des premiers transporteurs de la caravane, un de ses chasseurs-frelons. Celui-ci, maquillé en chasseur impérial, servirait d'appât.

« Le commandant du transporteur de tête le fera scanner. C'est la procédure d'usage, se dit Marsor. De faux signaux lui feront croire à une présence humaine en détresse à bord. Ça le convaincra d'une urgence médicale. La ruse, bien que grossière, ne l'alarmera pas outre mesure puisque l'espace sera libre de toute circulation sur plus d'une année-lumière à la ronde. La caravane sortira alors de l'hyperespace. Personne ne s'apercevra de rien quand ce vaisseau-appât, remorqué à proximité de la caravane, larguera des mines si petites qu'elles seront indétectables aux senseurs. Les premières explosions donneront le signal de l'assaut. Le *Grand Centaure* bondira alors hors du périmètre protégé par le champ d'énergie. La flotte lancera ses

chasseurs-frelons contre ceux envoyés par l'adversaire. La caravane sera immobilisée par les mines. Tout cela créera une sacrée pagaille et donnera le temps au *Grand Centaure* d'enfoncer les lignes de défense. Les unités des Tigroïdes et des Tricornes aborderont alors les vaisseaux-cargos...»

L'Amiral se massa les tempes. Très visuel, il passait et repassait dans sa tête toutes les manœuvres possibles. C'était cette faculté – prévoir toutes les réactions de l'adversaire et les visualiser sur l'écran de son esprit – qui permettait au pirate de concevoir des plans à la limite de la perfection.

«Mais avant d'affronter les ennemis du dehors, il faut s'occuper de ceux qui se cachent à l'intérieur même de la flotte.»

Ses pensées se fixèrent sur le jeune lion blanc. Les yeux verts, la chevelure orange et le petit visage triangulaire de Storine l'éblouirent un instant.

Allongée sur le côté gauche, Storine avait les membres liés par de solides cordes. Le froid de la dalle d'acier lui pénétrait le corps.

Après lui avoir asséné quelques coups de fouet, Astrigua, la chef des esclaves, l'avait traînée par les cheveux jusqu'à cette cellule étroite et obscure. À demi consciente, Storine s'était réjouie que son adversaire, toujours évanouie, ait subi le même sort. Ce qui lui plaisait moins, par contre, c'était qu'elles avaient été ficelées l'une contre l'autre comme deux saucissons. Ses poignets étaient attachés à ceux de la fille puante, de même que ses chevilles et ses genoux. Leurs hanches étaient étroitement embriquées, leurs poitrines se touchaient, si bien que Storine sentait battre son cœur contre celui de son ennemie et que la bouche de celle-ci bavait sur sa joue.

Storine bouillonnait de rage. Un instant, elle se débattit, donna des coups d'épaule et de hanche. Puis elle hurla. Sans autre résultat que l'écho de sa propre voix qui lui déchirait les tympans.

Il faisait trop sombre pour distinguer quoi que ce soit. Une fraction de seconde, elle sut que Griffo, dans son alcôve de verre, savait ce qui lui arrivait. Elle crut même l'entendre gronder. Cette pensée lui redonna courage.

La joue de la fille bougea contre la sienne. Elle bredouilla quelques mots incompréhensibles d'une voix pâteuse. Dans la cellule

froide, leurs yeux se rencontrèrent, souffles mêlés, front contre front. Instinctivement, Storine se crispa. Elle n'avait aucune envie d'entendre les jérémiades de cette chipie qui sentait mauvais et qui avait battu la vieille Ysinie.

À ce souvenir, Storine sentit la colère lui réchauffer le sang. Si elle n'était pas si solidement attachée, si elle n'avait pas aussi mal aux bras et aux jambes, si elle n'avait pas aussi soif, elle, elle... Elle éternua violemment dans la face de l'autre !

— Excuse-moi, bredouilla-t-elle par réflexe.

Elle regretta aussitôt ses paroles trop polies.

D'abord, l'autre ne répondit rien. Mais très vite, ses yeux rouges se mirent à briller. Sous son masque de crasse et de sang, elle sourit. Collée contre ce grand corps sec, Storine sentit que la fille se détendait.

— Je m'appelle Eldride.

— Tu parles l'ésotérien ? s'étonna Storine.

— Bien sûr ! Et même sept ou huit autres langues.

Malgré la précarité de leur situation, sa voix était enjouée et curieusement dépourvue d'agressivité. À son grand étonnement, Storine

la trouva même mélodieuse. Leurs yeux s'étaient accoutumés à la pénombre, mais Storine ne voyait que l'éclat rouge vif des pupilles d'Eldride qui lui rappelait tant celles de Griffon et de Croa.

— Les deux couteaux, murmura Eldride en avalant difficilement sa salive.

— Quoi ?

— Astrigua, elle appelle ça, le supplice des deux couteaux. Attachées comme on l'est, c'est difficile de se battre encore !

Un charme étrange opérait entre les deux filles. Ni l'une ni l'autre ne songeait plus à leur empoignade.

— Quelle sale bonne femme ! fit remarquer Storine. Elle me déteste, j'en suis sûre.

— Depuis qu'elle porte cette balafre, elle déteste tout le monde.

Storine ne tenait pas à savoir comment Astrigua s'était fait défigurer.

— Tu sais qu'il n'y a que deux enfants esclaves dans toute la flotte ? déclara Eldride.

— Non ?

— Eh bien, c'est nous.

— Comment es-tu arrivée, toi ? demanda timidement Storine. Tu as l'air d'être là depuis longtemps.

— Trop longtemps.

La proximité de leurs deux corps mettait Storine mal à l'aise. Sous le tissu rêche de la tunique d'Eldride, elle sentait pointer deux seins durs et chauds. Eldride avait éludé la question. Gênée par des sensations qu'elle n'avait encore jamais ressenties, Storine n'y prit garde.

— Et toi ? questionna sa compagne.

D'une voix entrecoupée et un peu rauque, elle lui fit le récit de son enlèvement. Parler lui fit du bien. Elle s'en étonna, car, sur Ectaïr, rejetée de tous à cause de son appartenance au clan des lions blancs, elle était plutôt secrète. « Sauf avec Santorin », songea-t-elle. Eldride l'écouta jusqu'au bout, puis poussa une sorte de sifflement admiratif.

— Quelle aventure !

— Combien de temps on va nous garder ici ? gémit Storine, épuisée par cette position écartelée.

— Un jour ou deux. Plus peut-être. Le temps qu'Astrigua se calme.

Storine laissa échapper un cri de douleur.

— Ma… jambe, dit-elle en haletant.

— Attends, on va tourner. Un, deux, trois !

Sous la violente poussée d'Eldride, elles basculèrent toutes deux, si bien que Storine se retrouva allongée sur sa compagne.

— Ça va mieux ? s'enquit Eldride.

Storine ne répondit pas tout de suite.

— J'ai… j'ai… Mon dos, il me gratte ! laissa-t-elle tomber.

Eldride se mit à pouffer. Les soubresauts de ce rire les secouèrent toutes les deux, et Storine, pour la première fois depuis longtemps, éclata de rire. Elles ne s'arrêtèrent de rire que lorsqu'un tintement aigu et régulier emplit les coursives du navire.

Eldride resta figée sur place, se mordit les lèvres, puis murmura d'une voix blanche :

— L'alerte…

Dans le couloir menant au coral des femmes, une esclave, un seau d'eau à bout de bras, hésitait devant l'alcôve du lion blanc. À l'idée d'ouvrir le sas pour donner de l'eau au fauve, la peur lui glaçait le sang dans les veines. Assis au fond de sa niche de verre, le petit lion l'observait de ses yeux rouges. Son poil semblait doux et chaud, et ses grosses oreilles lui donnaient un petit air canaille. Mais l'esclave craignait qu'en ouvrant le sas, il ne lui saute à la gorge.

Pourtant, elle n'avait pas le choix. Elle préférait s'en remettre à la violence du jeune fauve plutôt que d'affronter la fureur aveugle d'Astrigua. Persuadée que sa dernière heure était arrivée, elle approcha une main tremblante des commandes d'ouverture. Griffo suivait chacun de ses gestes avec le plus grand intérêt. La femme tremblait tellement que l'eau déborda du seau. Le sas glissa de côté. Au même moment, la sirène d'alarme retentit dans tout le vaisseau. La surprise et la peur saisirent l'esclave. Terrorisée, elle lâcha le seau et s'enfuit à toutes jambes.

Alors, sans se presser, Griffo sortit de sa cage, s'étira longuement, lapa les dalles humides, puis, redressant soudain les oreilles, il flaira à droite, renifla à gauche. Enfin, il partit au trot dans la direction opposée à celle qu'avait prise l'esclave.

Marchant nerveusement dans les coursives inférieures du navire, Astrigua donnait ses instructions aux membres de son unité.

— L'assaut est imminent. Bouclez-moi les esclaves dans leurs quartiers. Vous savez où mettre les récalcitrants !

La demi-douzaine d'hommes en armes acquiesça. C'était la procédure normale. Ils ne remarquèrent même pas le ton froid et sec de leur commandante. Quelques instants plus tard, la sonnerie d'alarme leur perçait les oreilles.

Les ponts inférieurs du *Grand Centaure* étaient le domaine privé d'Astrigua. C'était là que vivaient les esclaves – le plus loin possible des niveaux réservés aux guerriers. Lorsqu'un des esclaves devait servir dans ce qu'Astrigua appelait le « haut vaisseau », elle veillait à ce que tout se passe selon les règles.

Au cours d'un duel des Braves, elle avait été battue et défigurée par un guerrier. Peu de temps après, Astrigua s'était vu confier par l'Amiral la garde des esclaves du vaisseau. Cette nomination, elle le savait, n'avait pas sauvé son honneur perdu. Et le grade honorifique de commandante n'y changeait rien. Souvent, elle revivait l'époque où elle combattait aux côtés de Marsor. Son bras, alors, valait celui du plus valeureux des guerriers. Hélas, il y avait eu ce duel stupide, et puis sa blessure au visage.

Depuis, elle avait remplacé l'épée par le fouet électrique. Cette arme était désormais

le symbole de son autorité. Puisqu'elle ne pouvait plus combattre en tant que guerrière, elle avait résolu de prouver sa valeur en devenant la plus terrible maîtresse des esclaves que la flotte ait jamais connue. Et elle avait réussi. Les guerriers la craignaient. Oui, l'Amiral pouvait être fier d'elle. Ce qui n'empêchait pas Astrigua de lui en vouloir amèrement.

Astrigua détestait voir son autorité remise en question. Durant la mutinerie, elle s'était distinguée en bouclant le quartier des esclaves et en dénonçant plusieurs traîtres aux Centauriens. Ce qui la dérangeait le plus en ce moment, c'était cette gamine aux cheveux orange et la façon peu protocolaire dont elle avait été présentée à l'Amiral dans la salle des Braves, un lieu sacré dont elle aurait dû même ignorer l'existence. Et voilà que cette petite écervelée l'avait ridiculisée en déclenchant une bagarre dans le coral des femmes !

« Il faut que je la dresse, décida Astrigua. Elle et son horrible bestiole. » Elle imagina Storine ficelée à son adversaire, une sale pimbèche frondeuse qu'elle n'aimait pas davantage. « Dans quelques heures, songea-t-elle avec délectation, elles me supplieront de les libérer. »

L'incompréhensible attitude de l'Amiral vis-à-vis de cette fille et de son jeune lion n'avait pas échappé à la maîtresse des esclaves. Il y avait aussi autre chose : la carte magnétique ouvrant la cage du fauve qu'elle avait trouvée sur la gamine. Il faudrait qu'elle interroge Ysinie. Enfin, dès que celle-ci sortirait de l'infirmerie…

Un de ses soldats vint au rapport.

— Le *Grand Centaure* est prêt pour l'assaut.

Astrigua sentait monter en elle la fièvre du combat. Secrètement, même si l'expression glacée de son visage venait d'effrayer le guerrier, son cœur se serra. Elle décrocha de sa ceinture un émetteur en forme d'étoile et ordonna sèchement :

— Tout le monde à son poste.

… Quand soudain, un éclair blanc passa en flèche devant ses yeux.

— Griffo ! murmura faiblement Storine.

— Quoi ? répondit Eldride.

L'une et l'autre s'étaient tues depuis le déclenchement de l'alarme.

— Griffo…, répéta Storine les yeux clos, la respiration haletante.

— Ton lion ?

Pour toute réponse, Storine gémit, puis elle se mit à marmonner :

— Oui, viens, viens ! Par ici, mon bébé…

Le jeune lion galopait dans les couloirs du vaisseau. Sa petite maîtresse le voyait. Pas avec ses yeux mais avec son esprit. Il se rapprochait. Elle entendait son souffle, le rythme du sang dans ses veines. Elle sentait l'odeur fauve de son pelage. Soudain, elle poussa un petit cri de surprise.

— Qu'est-ce qu'il y a ? demanda Eldride, consciente que sa compagne vivait une sorte de transe.

— Gri… Griffo. Un homme a tenté de lui barrer le chemin. Il l'a mordu à la… la cuisse. Il arrive. Oui, oh oui. Viens ! On le poursuit. Une… femme entourée d'éclairs bleus.

— Astrigua et sa saleté de fouet ! s'exclama Eldride en serrant les dents.

— Ils viennent vers nous… Griffo ! Griffo ! appela encore Storine avant de retomber, épuisée, la joue sur la poitrine d'Eldride.

Quelques minutes plus tard, Eldride entendit un piétinement dans le couloir, ponctué de jurons et de claquements secs.

— Sale bête !

Le lionceau esquiva la lanière de cuir électrifiée, bondit, fit un écart. Astrigua siffla de rage mais frappa dans le vide. Le fauve se ramassa, les mâchoires dégoulinantes de bave, ses pupilles rouges braquées sur cette femme dont l'odeur lui faisait dresser les poils sur la nuque.

Ses oreilles, disproportionnées par rapport à sa gueule, pouvaient prêter à la plaisanterie. Mais Griffo ne riait pas. Il sentait la présence de sa petite maîtresse. Il savait qu'elle souffrait. Il savait aussi que cette femme, avec son bâton qui jetait des éclairs, avait fait du mal à Storine. Ses babines se retroussèrent sur des petits crocs aussi tranchants que des rasoirs.

— Griffo !...

Storine l'appelait ! Elle avait besoin de lui. Il avait tellement envie de se blottir contre elle, de sentir son souffle chaud et ses baisers sur son nez humide.

Le fouet claqua au-dessus de son oreille droite. Griffo vit la haine dans les yeux de la femme. Un goût de sang envahit sa gueule.

Esquivant une dernière attaque, il se rua dans les jambes d'Astrigua. Celle-ci s'en aperçut trop tard. Fauchée par l'élan du fauve, elle perdit l'équilibre, s'emmêla dans les lanières de son fouet et se cogna la tête… sur le panneau d'ouverture de la cellule !

Son hurlement se mêla à celui de la sonnerie. La porte de la cellule pivota. Griffo se rua à l'intérieur à l'instant où Astrigua, le corps tordu par la décharge électrique, s'écroulait comme une poupée de chiffon.

Le cœur d'Eldride s'arrêta de battre. Les crocs du lionceau tranchaient consciencieusement les liens qui lui serraient les membres. Elle sentait la fourrure du fauve contre ses avant-bras, son odeur musquée. Sitôt libérée, Storine roula sur elle-même. Griffo se précipita joyeusement pour lui débarbouiller le visage à grands coups de langue.

En rampant, Eldride s'éloigna de la fillette et de cette espèce de gros chien blanc dont le pelage faisait une tache claire dans la pénombre. Mi-stupéfaite, mi-inquiète, elle fixait sa compagne et le fauve enlacés. Storine s'adossa au mur de la cellule. Le fauve se coucha sur ses genoux et logea sa grosse tête de peluche dans le cou chaud de la fillette. Puis

il remua la queue et couina pour réclamer des caresses.

Une pointe de jalousie serra la gorge d'Eldride. Jamais personne ne l'avait aimée ainsi. Pourtant, elle souriait. Quand elle découvrit la maîtresse des esclaves, elle éclata de rire.

— Storine ! Viens voir, c'est trop drôle !

Encore peu solide sur ses jambes, la fillette sortit, une main sur la tête de Griffo.

— Électrocutée par son propre fouet ! ironisa Eldride.

Storine se frotta le bas du dos. Elle ressentait encore sur sa peau la brûlure des coups de fouet qu'on lui avait donnés.

— Et maintenant ? Qu'est-ce qu'on fait ?

— Maintenant, on la boucle dans la cellule et on se tire d'ici.

— Quoi ?

L'adolescente saisit Astrigua par ses bottes de cuir noir, la traîna dans la cellule. Puis elle l'enferma à son tour.

— On met les voiles.

— Mais…

— Storine, l'alarme ! Tu ne comprends pas ? Marsor attaque. C'est l'occasion ou jamais de s'enfuir du *Grand Centaure*.

— Mais…

— Il y a pas de mais. Suis-moi, je connais le navire comme ma poche !

Storine ouvrit la bouche. Eldride la prit par les épaules.

— Ne me dis surtout pas encore mais. Et dis à ton espèce de peluche blanche à grandes dents que, si elle me mord (elle désigna ses grosses chaussures), je lui file un coup de tatane sur la gueule.

Griffo fixa la nouvelle venue, dodelina de la tête, remua la queue. Storine éclata de rire.

— Y a pas de raison qu'il te morde. Il t'aime bien, je crois.

— Tant mieux pour lui.

Soudain le vaisseau tressaillit. La puissance des moteurs s'accrût. Les filles retinrent leur souffle. Le *Grand Centaure* ressemblait maintenant à un fauve prêt à bondir…

16

Marsor attaque

La masse imposante du *Grand Centaure* jaillit du périmètre protégé qui l'avait soustrait aux radars de la caravane et répandit la panique à bord de la longue file de vaisseaux. L'espace, libre sur des centaines de sillons quelques instants plus tôt, fourmillait à présent de chasseurs pirates. Quelques explosions avaient déjà secoué l'avant-garde de la caravane.

L'attaque avait commencé lorsque le navire de proue, un croiseur armé par la guilde des marchands d'Epsilodon, avait recueilli un petit chasseur impérial à la dérive. Comme l'avait prévu Marsor, le commandant ne s'était pas méfié. Les mines, trop petites pour être détectées, s'étaient arrimées en douceur à la coque des navires suivants.

Réglée de manière à ne pas détruire les appareils, chaque mine devait seulement provoquer assez d'avaries pour les immobiliser. La deuxième phase de l'attaque prévoyait une vague de chasseurs-frelons arborant les couleurs des unités des Tricornes et des Tigroïdes. La caravane, constituée d'une cinquantaine de bâtiments-cargos, n'était défendue que par une douzaine de croiseurs, appuyés par une petite flotte de chasseurs.

Debout sur la passerelle du *Grand Centaure*, l'Amiral coordonnait les différentes phases de l'opération. En contact simultané avec chacun de ses lieutenants, il avait les traits tendus, le regard fiévreux.

Comme à chaque attaque, il vivait dans une sorte de transe. Son souffle était court, l'adrénaline lui fouettait le sang. Il donna une série d'ordres brefs. Des entrailles du *Grand Centaure*, une formidable pression fit frémir le blindage de l'appareil. Les générateurs d'énergie, dont il avait lui-même supervisé l'installation au cœur du réacteur principal, allaient donner une puissance phénoménale au vaisseau.

Les croiseurs en tête de la caravane virent les quatre immenses cornes du *Grand Centaure* bleuir puis rougir. Enfin, après un

flottement de quelques secondes, une monstrueuse langue d'énergie siffla et désintégra les croiseurs dans une éclatante gerbe de lumière.

Cette déflagration donna le signal de la troisième phase de l'attaque. Complètement désorganisés, les bâtiments-cargos rompirent l'alignement et se mirent à dériver dans l'espace au milieu d'explosions et de tirs au laser. Désormais sans défense, ces cargos se retrouvèrent bientôt encerclés par les chasseurs-frelons, pour être ensuite abordés par les vaisseaux aux couleurs de la flotte.

Marsor afficha sur son écran central les visages de ses lieutenants, et leur répéta ses consignes : « Pas d'abus, pas de violences injustifiées parmi les marchands, leurs familles ou les voyageurs. »

Mais il ne se faisait aucune illusion. Il ne pouvait surveiller personnellement chacun de ses hommes. Il n'ignorait pas que, lors des abordages, les guerriers, surexités par les combats, n'hésitaient pas à briser la résistance des marchands par la force. Il y aurait de la violence et des prises d'otages. Certains maîtres pirates abuseraient des femmes et captureraient des jeunes filles et des jeunes garçons.

L'Amiral soupira. « Il y a moyen de s'emparer d'une caravane avec un minimum de pertes parmi les civils. » Mais il savait aussi que, sur le terrain, son autorité était battue en brèche. Heureusement, le butin récompenserait leurs efforts. Et puis, le prochain « pacte des Braves » approchait. Là, il tenterait, comme d'habitude, de rendre la justice et d'adoucir le traitement infligé aux prisonniers… et surtout de raffermir son emprise morale sur ses troupes.

Les deux fillettes se rendirent d'abord aux cuisines et furent soulagées de n'y trouver personne.

— Pourquoi on n'a croisé aucun garde ? demanda Storine en déambulant entre les innombrables buffets cadenassés.

Armée du fouet électrique récupéré sur Astrigua, Eldride fit adroitement sauter deux serrures. Elle s'empara d'un plateau rempli de fruits ronds qui firent gargouiller son ventre.

— Les esclaves ont tous été bouclés dans leurs quartiers, les guerriers sont dans leurs chasseurs, l'Amiral est sur la passerelle.

Elle se tut, trop affamée pour se perdre dans un long discours. Griffo attrapa au vol une cuisse bien grasse de gronovore, sorte de cochon sauvage vivant dans les forêts d'Ectaïr. Storine découvrit deux grands sacs de cuir dans lesquels elle commença à entasser tout ce qui lui tombait sous la main. Son odorat fit merveille. Le garde-manger était bondé de plaques végétales aux parfums les plus divers. Quand ses sacs furent remplis de victuailles, elle se tourna vers son aînée :

— Ensuite ?

— Direction baie de lancement numéro huit.

— Et c'est quoi cette baie ?

— La porte de la liberté !

Sans plus attendre, Eldride chargea les deux sacs sur ses épaules. Elles sortirent des cuisines en laissant derrière elles un épouvantable désordre. De temps en temps, le vaiseau tremblait et le plancher semblait se dérober sous leurs pas.

Storine se répétait naïvement qu'elles n'auraient qu'à se glisser à bord d'une nacelle de sauvetage. Jamais plus elle ne retournerait dans le coral des femmes. Jamais plus elle ne recevrait de coups de fouet. Il fallait réussir.

Eldride semblait forte et décidée. Elle connaissait le vaisseau. Elle avait voulu s'enfuir cent fois déjà, mais c'était la première fois, qu'au cours d'une attaque, elle se retrouvait libre. Storine se demandait ce que faisaient les pirates avec les esclaves difficiles. Eldride lui en avait glissé quelques mots, mais sans préciser…

À mesure qu'elles progressaient dans les niveaux inférieurs du *Grand Centaure*, Storine sentait monter en elle une vive anxiété. Ce projet de fuite l'enthousiasmait et l'effrayait en même temps. Mais il y avait aussi autre chose. Inexplicablement, en s'enfuyant, elle avait l'impression de trahir quelqu'un. Un instant, elle songea à la pauvre Ysinie, toujours clouée dans un lit à l'infirmerie. Mais ce n'était pas ça. «Je suis dingue!» songea-t-elle.

Pour se donner du courage, elle pensa à Griffo et à Eldride, dont elle commençait à apprécier la compagnie. Elle pensa même à Santorin.

«Si je m'enfuis, je vais le revoir…» Cette pensée donna un sens à sa fuite.

Les coursives des ponts inférieurs, vides, sombres et froides, leur donnaient l'impression de marcher dans les entrailles d'un géant.

L'adolescente s'y engouffrait à droite ou à gauche d'un pas vif, ses longs cheveux blonds froissés dans son dos maigre. Sur le qui-vive, Storine la talonnait, Griffo à ses côtés. Soudain, la fillette poussa un cri de douleur et s'écroula, les mains crispés sur son ventre. Agacée par ce retard, sa compagne fit volte-face.

— Mon ventre ! geignit Storine dans un souffle.

Son teint avait viré au jaune terne. Eldride fouilla dans les sacs que la petite avait remplis dans les cuisines. Elle en sortit trois fruits oblongs et orangés dont la chair pulpeuse avait un goût délicieux.

— Tu as mangé de… ça ?

Storine n'eut pas besoin de répondre. Eldride eut un sourire crispé.

— Des gremailles de Névra.

— C'est du poison ? s'enquit Storine en faisant une horrible grimace.

— Non, mais un laxatif qui provoque une sacrée purge !

Devant l'ignorance de la fillette, l'adolescente l'aida à se relever et ajouta en fronçant les sourcils :

— Il va falloir te trouver des toilettes. Mais après, direction la baie numéro huit ! Je me tire d'ici, avec ou sans toi. OK ?

Le détour fit tellement râler Eldride que la fillette souhaita que Griffo lui morde le fond du pantalon. De temps en temps, l'adolescente s'arrêtait, touchait le mur d'une main, se mordait les lèvres. Malgré les à-coups et les secousses, le *Grand Centaure* ne semblait nullement en danger.

Au carrefour de plusieurs coursives, les deux filles prirent à droite et passèrent devant une batterie de lourdes portes en acier. Griffo s'arrêta devant l'une d'elles, renifla, puis se mit à gémir. Storine colla son oreille contre le battant.

— Eldride ! Il y a des gens là derrière !

Les mains posées sur ses hanches osseuses, l'adolescente s'impatienta :

— Bien sûr, qu'est-ce que tu crois ! On est dans les cales.

— Et alors ?

— Alors ! C'est là qu'ils enferment les esclaves pendant les attaques.

— Mais c'est affreux !

— Qu'est-ce que tu peux être innocente quand tu t'y mets !

Elle la tira par la main.

— T'as pas l'air de comprendre que si quelqu'un nous trouve, ce qu'on a connu

dans la cellule n'est rien à côté de ce qui nous attend. Grouille !

Eldride avait beau forcer l'allure et essayer de se rassurer à haute voix, force lui était d'admettre que, malgré ses fanfaronnades, elle ignorait leur position. Storine le lui fit remarquer et s'attira un chapelet de jurons. C'est alors que Griffo, pris d'une inspiration, s'engagea dans la coursive de gauche.

— Suivons-le ! décida sa petite maîtresse.

Ils arrivèrent à une série de hublots donnant sur l'espace. Le verre blindé était très épais. Ce qui n'empêcha pas Storine de coller son nez dessus.

— Waao ! s'exclama-t-elle.

Malgré la peur d'être reprise, l'adolescente s'approcha, elle aussi. Le spectacle en valait la peine. Tant de chasseurs et d'explosions ! Un vrai feu d'artifice ! Storine songea que l'espace ressemblait au ciel de Briana, la capitale d'Ectaïr, quand le gouverneur inaugurait les fêtes traditionnelles du nouvel an impérial. Ces souvenirs la plongèrent dans une profonde nostalgie. Mais ce n'était guère le moment de se laisser aller.

— Comment on va faire pour se faufiler entre tous ces appareils sans être écrabouillées ? s'enquit-elle.

À voir l'expression d'Eldride, la réponse était simple : elle n'y avait jamais songé. « C'est du propre ! » se dit Storine qui, malgré ses onze ans et demi, prenait cruellement conscience de l'imprévoyance de sa complice.

— C'est petit, une nacelle d'éjection, finit par répliquer l'adolescente d'une voix tranchante. On réussira. Ils ne nous repéreront pas. Viens !

Deux niveaux plus bas, des cloisons étanches refusèrent de s'ouvrir ; à droite de la porte, un poste de garde déserté, équipé d'une console, attira l'attention de Storine. La fillette contempla les longues séries de symboles incompréhensibles ainsi que plusieurs diagrammes et trois petits écrans plats ovales.

— Viens ! ordonna la grande. Il doit y avoir un autre passage.

— Attends une minute.

Fascinée par tous ces diagrammes et ces combinaisons de symboles colorés qui avaient chacun une fonction spécifique, Storine ferma les yeux et se concentra. Eldride jeta un coup d'œil par-dessus son épaule :

— Tu y comprends quelque chose ?

— Attends, je…

Sans finir sa phrase, elle composa plusieurs codes numériques.

— Des pas ! lâcha Eldride d'une voix blanche.

Griffo se mit à gronder. À quinze mètres de là, dans l'étroit corridor, trois silhouettes armées se mirent à courir dans leur direction. Soudain, la cloison étanche devant elles s'ouvrit dans un grand fracas. Eldride poussa fermement sa compagne d'un coup d'épaule, puis elle abattit son fouet sur la console qui se mit à grésiller. La cloison se referma dans un coulissement aigu.

— Fichons le camp ! s'écria l'adolescente en se ruant vers l'escalier métallique.

Mais elle resta figée sur place. Ce n'était pas la baie de lancement numéro huit. Elles avaient abouti dans un des nombreux hangars poussiéreux dans lesquels les pirates remisaient leurs chasseurs hors d'usage. Storine sentit la panique monter en elle. « Pas de baie de lancement ! Pas de nacelle d'éjection ! Oh là là ! » Eldride s'accrochait à son fouet électrique comme à une bouée de sauvetage.

— La porte ! la porte ! s'écria-t-elle en se mettant à courir.

Tout d'abord, Storine ne comprit pas. Puis elle vit surgir les trois solides gaillards. La porte du poste de garde ne s'était pas complètement refermée...

En un éclair, elle fut rattrapée. On la souleva de terre. Griffo sauta à la gorge de l'agresseur. Les deux autres reculèrent et dégainèrent leurs sabres. Le premier pirate hurla, puis, déséquilibré, s'écroula dans un énorme cliquetis de métal.

— Griffo !

La voix étranglée de Storine brisa net l'élan du jeune lion. Dans ce cri, il sentit que sa petite maîtresse avait peur et surtout qu'elle avait mal. Un des guerriers tenait la gorge de Storine dans l'étau de ses grosses mains. Quand il vit le fauve reculer, il relâcha sa prise. À demi inconsciente, le visage écarlate, Storine retomba lourdement sur les dalles d'acier. Tandis qu'on la maintenait sous la menace d'un sabre, le troisième guerrier releva son compagnon blessé au thorax. L'homme qui menaçait Storine lui demanda :

— Es-tu seule ?

Storine devina que sa complice s'était blottie derrière un des appareils hors d'usage. En reprenant difficilement son souffle, elle répondit que oui.

— Tu mens ! s'exclama alors une voix impérieuse.

Plus furieuse que jamais, Astrigua pénétrait dans le hangar…

17

Le pacte des Braves

Après avoir pillé les petits cargos, les guerriers s'emparèrent des plus volumineux. Leurs équipages furent transférés de force dans les bâtiments voisins.

Il y avait toujours des risques à s'emparer des grands transporteurs d'une caravane. D'abord, les cargaisons étaient si volumineuses qu'on ne pouvait pas simplement les transborder d'un appareil à l'autre. Cela aurait pris trop de temps. Dans l'esprit de l'Amiral, une attaque devait être foudroyante. Rester trop longtemps sur place permettait aux secours d'arriver plus vite et aux marchands de s'unir pour tenter de récupérer leurs biens. Dans ces cas-là, davantage de sang était versé.

Marsor s'était déjà trouvé face à des marchands si rusés qu'ils préféraient piéger

leurs transporteurs plutôt que de les remettre à ses guerriers. En outre, il y avait toujours le risque que ces transporteurs explosent au cœur de la flotte ou bien qu'ils contiennent des émetteurs permettant aux autorités de suivre les pirates à la trace.

Mais l'Amiral n'avait pas le choix. Le minerai de brinium était trop précieux. Mieux valait se replier maintenant, par petits groupes, en prenant des directions différentes. Il enverrait des équipes de déminage à bord des transporteurs. Plus tard, les différentes unités de la flotte se réuniraient pour faire les comptes et pour fêter leur victoire.

Eldride fut jetée au cachot. Folle de rage, Astrigua lui avait arraché son fouet électrique des mains et il avait fallu l'intervention des trois guerriers pour l'empêcher de battre à mort la jeune fugueuse.

Dans l'obscurité de sa cellule, Eldride restait prostrée, les yeux grands ouverts, les côtes endolories. Les gardes postés dans le corridor l'entendirent rire. Un rire froid, désincarné. Ils se dirent que la pauvre fille avait perdu la raison.

Mais c'était faux. Eldride riait parce qu'elle venait de réaliser que, jamais, elle n'aurait pu s'enfuir du *Grand Centaure*. Pas parce qu'elle ignorait où se trouvait la baie numéro huit. Mais parce qu'elle ne savait pas piloter une nacelle de sauvetage.

Et puis, elle avait peur. Oh ! ses blessures, quoique douloureuses, n'étaient pas mortelles. Elle en avait vu d'autres. Seulement, elle ne voulait pas qu'on la renvoie à bord du *Cygnus*, le vaisseau de proue de l'unité des Tricornes. Elle ne voulait pas retomber vivante entre les mains de Pharos, son ancien maître.

Eldride avait été enlevée, bébé, à la suite de l'attaque d'une caravane. « Une caravane comme celle qu'ils ont pillée aujourd'hui... », se dit-elle, un goût de sang dans la bouche.

Pharos avait transgressé une des lois de l'Amiral qui interdisait qu'on enlève de jeunes enfants. Eldride ne se rappelait rien, mais la communauté des esclaves le lui avait raconté. Il y avait eu une séance des Braves. Pharos avait demandé qu'on lui donne le bébé. Comme le permettait la coutume, l'Amiral avait désigné au bébé un « défenseur » parmi ses propres guerriers. Celui-ci, hélas, n'avait ni l'expérience ni la cruauté du vieux Pharos. Le duel avait coûté la vie au défenseur et

Eldride avait été livrée au vainqueur. On racontait que Pharos était un proche de Torgar. Qu'en était-il depuis la mort de l'ancien premier lieutenant ?

Eldride avait grandi dans les quartiers de son maître. Elle frissonna d'horreur et de dégoût en repensant aux traitements qu'il lui avait fait subir. Une nuit, vers l'âge de onze ans. « L'âge de Storine », songea la jeune fille. Cette nuit-là, Pharos l'avait violentée et elle avait tenté de l'assassiner.

Eldride se revit, la dague à la main. Elle avait pensé pouvoir planter la lame dans la gorge du pirate, puis descendre et lui ouvrir la poitrine jusqu'au ventre. Mais sa main avait tremblé. Bien qu'endormi, le guerrier avait senti le danger. L'adolescente claqua des dents en repensant aux minutes qui avaient suivi.

Pharos aurait pu la tuer sur place. Au lieu de ça, il s'était mis à ameuter tout le navire. Une chance unique pour Eldride ! L'Amiral avait été prévenu. Au terme d'un deuxième « pacte des Braves », la fillette non seulement n'avait pas été mise à mort, mais, en raison de son jeune âge, elle avait simplement été retirée du Cygnus pour être transférée dans le coral des femmes, à bord du *Grand Centaure*.

Marsor en avait décidé ainsi, réparant l'erreur qu'il avait commise. On murmurait à bord des vaisseaux de la flotte que l'Amiral avait fait preuve de faiblesse en prenant le parti d'une simple esclave. « Mais grâce à lui, songea Eldride, je suis toujours vivante. Et mon rêve aussi… M'enfuir. Oui. M'enfuir, devenir riche et vivre libre… »

Ce qui ne l'empêcha pas de se jurer à elle-même : « Si l'Amiral me renvoie auprès de Pharos pour me punir, jamais je ne l'accepterai. Jamais ! » Ne pouvant même pas imaginer la vengeance de son ancien maître, elle ajouta, les larmes aux yeux : « Je préfère mourir. »

De nombreux guerriers attendaient avec impatience la prochaine session du pacte des Braves. Mais pour l'heure, il s'agissait de rejoindre le *Grand Centaure* au lieu de rendez-vous afin de procéder au partage du butin. Certains pirates écoutaient les nouvelles diffusées aux quatre coins de l'empire. Cela flattait leur orgueil que les médias parlent d'eux !

Chaque attaque était suivie de près par les journalistes. Des milliers de personnes

de par l'empire commentaient leurs faits et gestes. Ce que les guerriers préféraient, c'étaient les analyses des prétendus experts qui prévoyaient, à tel ou tel endroit, la prochaine attaque de Marsor. Certains racontaient même que l'Amiral était l'incarnation d'un démon annoncé par les prophéties du grand devin Étyss Nostrus.

L'Amiral, lui, préférait les nouvelles que l'on ne diffusait pas sur les chaînes interspatiales. Ayant créé son propre réseau d'information, il prenait le pouls des autorités en conversant par relais secrets avec ses nombreux espions à travers l'empire.

C'est de cette façon qu'il apprit que le commandor Sériac Antigor avait été rappelé sur la station-astéroïde de Quouandéra, le quartier général de l'armée impériale dans cette partie reculée de l'empire.

La flotte se regroupa au centre de la mer d'Illophème, vaste océan de planétoïdes toujours en mouvement. Ce secteur de l'espace, situé dans le vide spatial qui séparait le système de Branaor du système de Phobia, était un périmètre interdit par l'armée impériale, car les dangers de collision avec un astéroïde étaient trop élevés.

Malgré cela, le choix de l'Amiral s'était porté sur la mer d'Illophème, nommée ainsi en l'honneur du courageux navigateur qui, le premier, avait disparu dans ce secteur. Les cargos subtilisés par les guerriers, méticuleusement inspectés durant le trajet, se balançaient doucement entre les croiseurs pirates. Devant l'immense baie vitrée s'amoncelaient d'énormes astéroïdes sur lesquels le *Grand Centaure*, aussi puissant soit-il, pouvait se briser comme une coquille d'œuf. Mais, là encore, Marsor n'avait pas le choix. Jamais les autorités ne se risqueraient à le traquer jusqu'ici.

Il leva un bras, hésita, puis vint prendre la place de son principal timonier. Dans son dos, il sentait la peur de ses hommes.

— Nous allons ouvrir un passage! annonça-t-il de sa voix profonde.

Ça ne serait pas la première fois qu'il se risquerait dans la mer d'Illophème. Il savait que ses mains ne trembleraient pas.

Le partage du butin se faisait traditionnellement dans la salle des Braves. Réunis sous

les arches et les colonnades, plusieurs centaines d'hommes et de femmes attendaient, impatients mais joyeux, car l'attaque de la caravane avait été un succès.

Toujours soucieux de préserver l'unité au sein de la flotte, l'Amiral pénétra sous les profondes arches incrustées de motifs de combats et de victoires. Vêtu d'un costume de cuir mordoré et d'une lourde cape noire de cérémonie, Marsor leur apparaissait tel un demi-dieu sauvage. Pour ces rudes guerriers, il était plus qu'un homme ou qu'un chef. Il était le symbole d'une certaine idée de la liberté.

Les épais cheveux blond cuivré de l'Amiral prenaient, sous les projecteurs, des reflets roux. Son casque aux ailes recourbées comme celles du *Grand Centaure* jetait des étincelles. D'un pas majestueux, il vint s'asseoir dans l'imposant fauteuil placé au centre d'une fresque représentant un immense lion blanc prêt à bondir.

Urba, son majordome aux yeux larmoyants, vint se placer à sa gauche, tandis que son nouveau premier lieutenant, le valeureux Krôm, se tenait en retrait à sa droite – l'ancienne place de Torgar. Une clameur rauque accueillit son arrivée.

L'Amiral scruta les visages de ses officiers. « Il va y avoir des mécontents, se dit-il. Comme chaque fois… »

En effet, même si le butin était considérable, les frais d'entretien de la flotte étaient astronomiques. En bon administrateur, l'Amiral retranchait la moitié des bénéfices pour subvenir au ravitaillement, aux réparations et autres multiples dépenses générées par une population de plus de deux mille hommes et femmes. Il répartissait cette somme équitablement entre les lieutenants afin qu'ils s'occupent de leurs unités respectives. Mais Marsor savait que plusieurs lieutenants garderaient une partie de l'argent pour eux.

La seconde moitié du butin représentait les parts individuelles. C'est là qu'intervenait l'Amiral, puisqu'il était libre de donner à sa guise selon les mérites de chacun. Pour lui, c'était aussi une façon efficace de s'attacher la loyauté de jeunes guerriers promis à de futurs exploits. Au cours de la cérémonie, les lieutenants proposeraient à l'Amiral de nouvelles recrues venues des quatre coins de l'espace.

Marsor prononça le discours inaugural qu'il avait lui-même écrit et répété. En homme public, il était conscient de son charisme et

savait parfaitement l'utiliser pour manipuler ses guerriers. « Vraiment, se dit-il, cette victoire arrive à point. »

Assise près du carré des maîtres pirates, Astrigua rongeait son frein. Un coup d'œil rapide échangé avec le vieux Pharos la rassura. Si les choses se passaient comme prévu, le petit service qu'elle était sur le point de lui rendre ferait de lui son débiteur pour de longues années. Pharos était immensément riche. Elle connaissait les faiblesses et les rancœurs du maître pirate. Malgré sa fidélité à l'Amiral, il n'avait jamais été promu lieutenant car Marsor n'aimait pas beaucoup ce vieux guerrier. Elle l'approuvait tacitement : Pharos était orgueilleux, fourbe, égocentrique et cruel. Seule la peur le maintenait dans le giron de l'Amiral. Sa plus grande faiblesse était d'ordre sexuel. Tous les guerriers avaient des maîtresses qu'ils échangeaient entre eux moyennant paiements ou promesses d'alliances. Ces femmes étaient pour la plupart des esclaves.

Storine ne comprenait plus rien. Pourquoi ne pas l'avoir battue et jetée au cachot comme

sa camarade ? Au lieu de ça, on l'avait baignée, parfumée, nourrie et vêtue comme une princesse. Griffo était couché à ses pieds. Astrigua l'avait certes obligée à lui passer une solide muselière, mais au moins ils n'étaient pas séparés. Enfermée dans une petite pièce attenante à la salle des Braves, Storine écoutait parler celui que l'on appelait l'Amiral. Sa voix était grave et rassurante. Storine la trouva mélodieuse. Même si elle avait peur, elle s'approcha du panneau et y colla son oreille afin de mieux écouter. Le grand chef parlait de partage, de butin, de victoire ainsi que de sa joie de voir, une fois de plus, tous ses fidèles guerriers réunis autour de lui.

Astrigua écoutait, elle aussi, mais ses pensées vagabondaient. Après le partage et les nominations d'usage viendrait le « pacte des Braves » proprement dit. Cette cérémonie annuelle était le renouvellement du serment de fidélité des Braves à leur chef. Au cours de cette cérémonie, les guerriers étaient libres de rompre leur serment et de quitter la flotte avec leur part de butin. En contrepartie, ils juraient de ne jamais trahir les principes sacrés de la piraterie… sous peine de mort. Chacun savait combien Marsor était sévère avec les traîtres. Le souvenir de l'intervention

des Centauriens lors de la récente mutinerie était gravé dans toutes les mémoires.

Mais Astrigua ne s'inquiétait pas des éventuelles défections. La plupart des guerriers, hommes et femmes, étaient d'anciens repris de justice. Et d'après les rumeurs, la mutinerie de Torgar n'avait regroupé qu'une poignée de têtes brûlées et elle était aujourd'hui complètement éradiquée.

La maîtresse des esclaves attendait donc avec impatience le moment du pacte et de l'échange du sang. Un Brave s'approcha de l'Amiral, le salua selon l'étiquette, puis renouvela son serment de fidélité en s'ouvrant légèrement l'avant-bras avec son poignard. L'Amiral préleva dans sa paume droite une goutte de son sang à l'aide d'une seringue spéciale en forme de dague recourbée. Il prit ensuite l'avant-bras entaillé du guerrier dans sa main et répéta la formule consacrée : « Par ce geste sacré, je t'accepte au sein de mon armée et jure de nous maintenir tous deux sur les chemins de l'honneur. » Le guerrier prononça à son tour les paroles rituelles : « Amiral, je jure d'être partout votre bras, vos yeux, votre clémence ou votre courroux. »

Ces mots-là firent sourire Astrigua. Mais c'était un sourire amer. Combien de fois avait-

elle répété ces mots avec, dans les yeux, un mélange de passion, de désir et d'adoration pour Marsor le pirate ? Aujourd'hui, rabaissée au rang de maîtresse des esclaves, elle n'avait pas besoin de renouveler son serment, car elle n'était plus considérée comme une guerrière.

Astrigua tendit l'oreille. C'en était fini des discours et des nominations. À son tour Krôm, le premier lieutenant, s'entaillait l'avant-bras. Faisant signe à un de ses hommes, Astrigua lui ordonna :

— Va me chercher la gamine.

Marsor se méfiait de l'euphorie qui enflammait ses hommes après le renouvellement du pacte. Certains profiteraient de l'occasion pour lui faire des remontrances ou pour lui demander une plus grande part de butin. Ces pratiques, bien que ne faisant pas partie de la tradition, s'imposaient lentement et forçaient l'Amiral à des compromis parfois humiliants. La diplomatie lui interdisant une trop grande sévérité, il lui fallait toujours parler et agir avec une extrême prudence.

Un homme pénétra dans la petite pièce où se trouvait Storine et lui ordonna de le suivre.

Trop anxieuse de son sort, la fillette ne sentait même pas sur sa peau la douceur de sa longue robe de soie blanche. Ses cheveux orange avaient été lavés, peignés et tressés sur sa nuque. Un bandeau noir damassé d'argent lui ceignait le front et des pendants d'oreilles sertis de diamants étaient suspendus à ses oreilles. Si elle avait été libre, elle se serait déshabillée et plongée dans un bain chaud pour se libérer de cet affreux parfum lourd et capiteux dont on lui avait barbouillé la nuque, l'intérieur des poignets et les aisselles. Quand elle avait fait la grimace, Astrigua avait laissé tomber, méprisante : « On la débarrasse de sa crasse et de son affreuse odeur de fauve, et cette morveuse fait la moue devant un flacon de myrthaline ! Emmenez-la avant que je ne change d'idée ! »

Quand le guerrier la poussa dans la salle des Braves, Storine avait envie de vomir. Le silence tomba sous les colonnades. Pharos s'avançait vers le trône de l'Amiral. En le voyant se traîner comme une hyène répugnante, Marsor durcit son regard. Cette expression n'échappa pas à Astrigua qui se mit à prier silencieusement : « Pourvu que ça marche... »

Craignant la douleur, Pharos s'y prit à trois fois pour s'entailler l'avant-bras. Il répéta

les mots rituels d'une voix nasillarde, mais contrairement à ses camarades qui fixaient l'Amiral droit dans les yeux, Pharos contempla ses pieds. Anxieuse, Astrigua entendit à peine la voix de son soldat qui lui murmurait, en poussant Storine :

— La voici, maîtresse.

« Maintenant ! » songea-t-elle, ses yeux brillants d'un éclat sombre.

— Je demande pour ma maison le privilège de l'ascoria ! s'exclama soudain Pharos.

Les guerriers retirent leur souffle. L'ascoria était traditionnellement une demande d'adoption d'un pirate âgé pour un esclave ou un jeune guerrier. Où le rusé Pharos voulait-il en venir ?

— Précise ta demande, lui répondit froidement Marsor.

Pharos sembla fléchir. Il baissa les yeux, se tortilla. Mais il se redressa et montra du doigt la jeune fille qu'un homme poussait au centre de la salle.

Ainsi vêtue et coiffée, Storine semblait plus âgée de trois ou quatre ans. Elle trébucha et s'accrocha à l'épaule de Pharos pour ne pas tomber. Une salve de rires secoua l'assistance. Tous connaissaient le goût douteux

de Pharos pour les très jeunes filles. Et celle-là était magnifique. Des remarques obscènes fusèrent sous les arcades. Mais quand Pharos voulut prendre le bras de Storine, celle-ci le repoussa violemment, une expression de dégoût peinte sur le visage.

Un silence de mort tomba sur la salle car tous venaient de reconnaître la fillette dont le lion blanc avait dévoré la tête du défunt Torgar. Le regard de l'Amiral restait indéchiffrable. Astrigua serra les mâchoires. Au bout de quelques secondes, Marsor se leva. Blanche de peur mais surtout de rage, la fillette posa ses grands yeux verts sur le colosse qui s'approchait d'elle. Marsor inspira profondément. Devant cette enfant – et cela depuis le début –, il n'avait jamais pu être objectif.

— Très bien, Pharos, dit-il. Tu la veux ? Elle est à toi.

Le vieux pirate se mit à glousser. Les rides de ses joues flasques se détendirent, ses grosses lèvres jaunâtres s'arrondirent. Mais l'Amiral ajouta, glacial :

— À condition que tu la gagnes en combat singulier contre son défenseur.

Un combat ! Comme celui qui avait jadis brisé les ambitions d'Astrigua ! Comme celui

qui, il y avait treize ans, avait donné la petite Eldride à ce même Pharos ! Astrigua avala durement sa salive. Quel guerrier ou guerrière l'Amiral allait-il choisir pour défendre l'enfant ? Elle jeta un regard alentour. Cette même question était sur toutes les lèvres.

Marsor fit lentement le tour de la salle. Les pirates, surtout les plus jeunes, se raidirent. Les défenseurs étaient d'ordinaire choisis parmi eux. C'était un grand honneur. Mais comme le combat était un combat à mort, c'était aussi un pari risqué. Lorsque Marsor revint se camper devant Pharos, un murmure déçu se fit entendre, car il n'avait choisi personne. C'est alors qu'il décrocha sa longue cape. La main sur le pommeau de son énorme sabre, il clama de sa voix sépulcrale :

— C'est contre moi que tu devras te battre, Pharos !

Cette déclaration jeta l'effroi parmi les guerriers. Le visage d'Astrigua se froissa comme du vieux papier. Comme si ce n'était pas suffisant, Marsor ordonna à son majordome de lui remettre sa cagoule noire brodée d'or. Les yeux de Pharos s'écarquillèrent de terreur. Les guerriers comprirent que ce combat était, dans l'esprit de l'Amiral, une véritable exécution.

Pharos ne pouvait se dérober qu'à la condition de perdre son honneur, son rang et tous ses biens. Les ongles enfoncés dans la chair de ses paumes, Astrigua tremblait de colère. Comment l'Amiral pouvait-il se compromettre ainsi pour cette gamine sortie de nulle part ?

— Alors, Pharos, que décides-tu ?

Les guerriers reprirent en chœur les paroles de l'Amiral. Pharos dégaina son sabre. Marsor en fit autant. Durant plusieurs secondes, le maître pirate évalua la situation. Honnêtement, il n'avait aucune chance. Ce combat, qu'il l'accepte ou qu'il le refuse, serait sa perte. Sa tête roulerait sur les dalles de la salle des Braves. Ou il serait rabaissé au rang de simple guerrier. Un instant, il songea à mourir comme il n'avait jamais vécu : en brave. Mais il se reprit. Le déshonneur, même s'il lui vaudrait l'opprobre de tous, valait encore mieux que la mort.

Les jambes flageolantes, il souleva son sabre au-dessus de sa tête et l'abattit de toutes ses forces sur les dalles d'acier. Selon la tradition, le sabre devait se briser au premier choc. Malheureusement pour lui, son arme était solide et Pharos dut se reprendre, encore et encore. La lame ne se brisa qu'au quinzième coup, chacune de ses tentatives ayant été saluée par des moqueries et des exclamations de mépris.

Épuisé, il se laissa tomber sur le sol. Deux gardes s'emparèrent alors de lui et le traînèrent parmi les guerriers, qui firent mine de s'écarter comme s'il était atteint de la peste. Il fut jeté hors de la grande salle où, plus jamais, il n'aurait le droit de siéger. Mais Pharos ne perdait pas tout. « Avec la vie, se dit Astrigua, il conservera sa haine. Un jour ou l'autre, cela pourra m'être utile… »

L'Amiral rengaina son long sabre et découvrit son visage. Le regard qu'il échangea avec la fillette lui fit l'effet d'un coup de tonnerre. Il la prit par la main ; elle le suivit juqu'à son trône. Là, il fit signe à Krôm de s'approcher de l'enfant. Ce qu'il s'apprêtait à faire jetterait la confusion dans l'esprit de ses hommes. Il sourit intérieurement. « Tant pis ! » Défiant ses guerriers, Marsor s'entailla l'avant-bras avec son poignard. Le premier lieutenant tendit à Storine un poignard tampon dont la lame était incrustée de l'emblème héraldique de la piraterie.

Tous fixaient la fillette. Astrigua était aussi tendue que les autres. Storine avait assisté précédemment à l'échange des serments. Elle avait conscience qu'il se passait un événement extraordinaire et qu'elle se trouvait comme dans l'œil d'un cyclone. Le sang commença à couler sur la peau de l'Amiral. Étrangement, Storine n'avait plus peur. Elle se revit au milieu de ses frères, les lions blancs d'Ectaïr. Elle revit Griffon, leur roi. À leur façon, ces hommes étaient des lions. Marsor, leur roi. Sans plus hésiter, elle s'empara du poignard. Le moment était si insolite, si précieux, qu'elle ne ressentit qu'une légère brûlure lorsque l'emblème s'incrusta dans la peau fragile de son poignet droit. Les yeux fermés, elle eut l'impression de s'envoler. Dans son imagination, Griffon rugissait à ses côtés. Elle le chevauchait et ils partaient au galop dans les herbes fauves de la brousse ectaïrienne.

Les paroles de l'Amiral firent jaillir des larmes sous ses paupières :

— Storine, fille des lions blancs d'Ectaïr, de par le privilège de l'ascoria, je fais de toi ma fille. Ma fille légitime ! scanda-t-il.

Surgie de centaines de poitrines, une puissante clameur reprit en écho les paroles de l'Amiral. Storine était heureuse. Totalement heureuse pour la première fois depuis qu'on l'avait arrachée à sa planète d'origine. Elle savait maintenant pourquoi elle n'aurait jamais pu s'enfuir du *Grand Centaure*…

18

La fille de l'Amiral

La nouvelle de l'adoption de Storine fit le tour de la flotte comme une traînée de poudre. Les réactions furent mitigées. Avertis par la fameuse « rumeur », les esclaves, d'abord surpris et même effrayés, se réjouirent. Quelque chose venait de se produire. Certains y virent même le prélude à des changements encore plus stupéfiants. Les guerriers, dont les plus braves étaient présents lors du « Pacte », furent quant à eux profondément déroutés.

En adoptant une esclave inconnue, l'Amiral venait de rompre avec ses propres principes. Les pirates, en effet, possédaient de nombreuses maîtresses ou amants. Cependant, les femmes esclaves qui menaient une grossesse à terme étaient soigneusement choisies.

Elles étaient ensuite envoyées loin de la flotte et de ses dangers, vers les différents repaires galactiques où Marsor faisait relâche. Les enfants étaient élevés en secret par leurs mères naturelles, ou leurs tuteurs désignés, dans l'ignorance absolue de l'identité de leurs véritables parents. Il arrivait que ces enfants, devenus adolescents, soient présentés au « pacte des Braves », puis admis comme apprentis guerriers. Mais, en général, ils recevaient une bourse de l'Amiral. Sans avoir jamais eu, ou presque, de contact avec leurs géniteurs, ils partaient en citoyens libres se chercher une place dans l'empire. Il n'était pas rare qu'ils soient par la suite contactés pour devenir des indicateurs.

Après avoir retourné le problème dans tous les sens, la plupart des guerriers, encouragés par leurs lieutenants, arrivèrent à la conclusion suivante : Marsor était le véritable père de l'enfant et l'arrivée surprenante de celle-ci à bord du *Grand Centaure*, puis son adoption, étaient un coup monté.

Seule Eldride, toujours enfermée dans son cachot, ne prit pas cette nouvelle à la légère. Se fiant à sa propre expérience avec Pharos, elle sortit de sa torpeur et implora ses geôliers de la laisser sortir.

— Il faut que je la prévienne ! Il le faut ! se lamentait-elle.

Les gardes, qui avaient discuté de l'adoption de Storine devant la cellule, regrettèrent d'avoir trop parlé.

— Tu veux la prévenir de quoi ? s'esclaffèrent-ils.

Eldride tomba à genoux. Pour elle, la fillette aux cheveux orange courait le risque de se faire voler son enfance de la même manière qu'elle-même l'avait perdue. Et doucement, les mains écorchées d'avoir trop frappé le vantail de la porte, elle fondit en larmes.

La première odeur que Storine perçut fut celle de son petit Griffo, couché sur le lit à ses côtés. Son nez humide et froid remua contre son cou. Rassurée, la petite ouvrit les yeux, s'étira, puis repoussa le jeune lion dont la langue râpeuse lui décapait le visage.

La pièce était petite, mais agréable. Derrière la tête du lit s'ouvrait une longue baie vitrée de forme pyramidale. Le scintillement des étoiles sur la toile écarlate des lointaines nébuleuses apporta à Storine un sentiment de paix tel qu'elle n'en avait jamais connu. Les murs étaient faits de panneaux de métal entrecroisés de couleurs sombres. Encastré dans les parois pour empêcher les accidents en cas d'attaque, l'ameublement était en bois verni, sculpté de nombreuses figurines guerrières : amazones minuscules, épée à la main ; énormes chevaliers casqués ; animaux de légendes. Enfin, à l'intérieur de profondes étagères, Storine aperçut une centaine de vieux livres !

C'était la première fois qu'elle en voyait autant. Sur Ectaïr, dans les musées, on pouvait en admirer à l'intérieur de cloches en verre. À son école, les élèves utilisaient uniquement des lecteurs portatifs à cristaux liquides. Une odeur de vieux papier imprégnait la pièce, et elle se pinça les narines. Elle se souvenait vaguement des événements de la veille. La salle des Braves, les clameurs, son horrible mal de tête, l'impression d'être prisonnière dans sa robe trop serrée. « Une chambre ! Un lit ! se dit-elle. Et Griffo qui couine et me lèche la figure. Je dois être en train de rêver. »

Soudain, un panneau du mur coulissa. Les poils de son échine dressés, Griffo sauta à bas du lit et retroussa ses babines. Un

homme petit et voûté s'immobilisa dans le chambranle d'une porte dérobée. Storine sentit la peur de cet homme. Il appuya sur un interrupteur et une lumière violacée inonda la chambre, créant sur le visage du visiteur des ombres et des rides inquiétantes.

— Je suis Urba, le majordome de l'Amiral.

Sa voix basse tremblait, mais ses yeux jaunes, enfoncés dans leurs orbites, étaient froids, méfiants et calculateurs. Storine ordonna à Griffo de se taire, sans savoir que ce tremblement dans la voix d'Urba n'était pas de la peur mais de la jalousie. Elle se leva, défroissa sa robe et s'avança candidement :

— Moi, je suis Storine. Et... heu... où est-ce que je suis ?

— Dans les appartements privés de ton père, voyons !

Urba avait insisté sur le mot « père » et Storine, toujours un peu confuse, se rappela : « Ah oui, mon... père. On m'a adoptée. » Comme le mot « père » sonnait étrangement dans sa tête, elle le répéta plusieurs fois à haute voix tout en collant sa joue contre la baie vitrée.

— Que c'est beau...

Elle revit en pensée le grand guerrier que l'on appelait l'Amiral.

— C'est si beau l'espace..., murmura-t-elle encore.

Urba soupira. Cette gamine était tout feu tout flamme. Certes, elle possédait un pouvoir sur les lions blancs, mais, en réalité, elle n'était encore qu'une petite fille. Elle ne constituerait pas une menace...

Il se racla la gorge.

— Tu as dormi toute la journée. Ton père veut te voir.

— Mon... père ? chantonna-t-elle rêveusement.

Tout cela était bien étrange. Elle n'avait jamais eu que des grands-parents... adoptifs, eux aussi.

Urba aurait bien aimé la prendre par une oreille et l'emmener de force. Mais comment réagirait le fauve ? Celui-ci, plus perspicace que sa jeune maîtresse, sortait puis rentrait les griffes, les enfonçant dans l'épais tapis sans quitter le majordome de ses yeux de braise.

Encore ensommeillée et les cheveux en bataille, Storine passa dans le salon contigu à ce qui n'était pas vraiment la chambre de l'Amiral, mais, Urba insista bien là-dessus, sa salle d'étude privée. Attentif au moindre danger, Griffo humait l'air et reniflait le coin

des meubles. Horriblement gêné par l'aspect négligé de la fillette, Urba adressa de nombreuses excuses à l'Amiral.

— Laisse-nous, lui commanda celui-ci.

Le majordome se retira en boitillant par un long corridor qui s'ouvrait sur plusieurs autres pièces. Storine ne vit pas l'expression haineuse de son visage félin. Elle n'avait d'yeux que pour le redoutable guerrier, assis en face d'elle sur un confortable divan de cuir rouge bourgogne. Dans cette pièce aussi, l'espace semblait entrer de tous les côtés à la fois. Soutenues par des arceaux de métal, les baies vitrées s'élevaient très haut vers les plafonds obscurs. Le mobilier, d'acier et de verre, donnait au grand salon un cachet austère mais grandiose. Pas un grain de poussière ne ternissait les meubles. Un arôme inconnu enveloppait l'Amiral. « Un parfum sans doute », se dit-elle. Elle inspira profondément. C'était très mâle, doux, avec une faible touche de musc et de baies sauvages. « J'aime bien ! » décida-t-elle. Rien à voir avec l'odeur de fiel qui émanait du majordome. Un énorme piano, avec deux rangées de touches transparentes, occupait un angle de la pièce.

L'Amiral se servit un grand verre d'une boisson noire aux reflets bleutés. Une fraîche

odeur de menthe et de réglisse se répandit dans le salon. Le liquide coulant dans le verre faisait écho au faible bourdonnement des moteurs. Marsor se rencogna dans le divan et porta la boisson à ses lèvres.

— Ainsi donc, petite Storine, tu nous viens de la planète Ectaïr et tu as onze ans et demi.

Storine sentait son cœur battre dans tout son corps. Pourtant, elle n'avait pas peur. Il lui fit signe de s'asseoir à ses côtés mais la fillette préféra s'accroupir sur le tapis en serrant le cou de Griffo.

— Le commandor Sériac t'a enlevée, poursuivit l'Amiral. Pourquoi, à ton avis ?

Storine secoua la tête. Elle ne savait pas. À vrai dire, elle s'était déjà posé la question... bien que les événements, depuis son arrivée à bord du *Grand Centaure*, ne lui eussent pas laissé beaucoup de temps pour réfléchir.

— D'après les rapports des autorités de Ganaë, il y a une deuxième personne qui voulait t'enlever. Le savais-tu ?

Nouveau signe de tête.

— Tu la connais, c'est ton ami Santorin.

À ce nom, les yeux de Storine s'écarquillèrent d'étonnement. Elle ne savait pas que Santorin, lui aussi, voulait l'enlever.

— Et ce Santorin ne s'appelle même pas Santorin. En fait, personne ne sait qui il est. Ton histoire, petite, m'a l'air bien compliquée.

Il but son vin à petites gorgées.

— Est-ce que... est-ce que c'est vrai ? balbutia Storine.

— Ça m'en a tout l'air, répondit l'Amiral en faisant tourner son verre dans le creux de ses grandes mains.

— Non. Je veux dire, est-ce que c'est vrai que vous êtes... mon père ?

Surpris par autant d'audace, Marsor la contempla silencieusement pendant une longue minute. Mais n'était-ce pas plutôt de l'innocence ? Il éclata de rire.

— J'ai bien peur que non, petite.

— Alors, pourquoi l'avoir crié devant tout le monde ?

Vraiment, Storine ne comprenait pas. Le visage de l'Amiral restait indéchiffrable. Au bout de quelques secondes, il avoua :

— Pour tout te dire..., commença-t-il en baissant le ton comme s'il partageait avec elle un grand secret, je ne le sais pas très bien moi-même...

Storine ouvrit la bouche mais sans pouvoir articuler un son. Comment cet homme, qui était si fort et si craint, pouvait-il ne pas savoir une chose pareille ? Marsor vida son verre d'un trait puis se leva brusquement. En reculant, la fillette heurta le divan.

— Aïe ! s'écria-t-elle en grimaçant.

— Ça va ?

En la prenant par les épaules, l'Amiral la fit grimacer de nouveau.

— Tu es blessée ?

Pour toute réponse, Storine lui montra les traces rougeâtres qui zébraient ses omoplates.

— Par les cornes du *Grand Centaure* ! Tu as été fouettée dernièrement ! Astrigua ?

— Oui.

L'Amiral fit une vilaine moue qui lui froissa le nez. Il prit entre ses doigts le poignet droit de Storine, là où elle s'était incrustée l'emblème pirate dans la chair.

— Tu garderas toujours ce symbole tatoué, lui dit-il.

— Pourquoi ?

— Le poignard utilisé pour le serment des Braves est particulier. Tu porteras ce signe toute ta vie pour te souvenir qu'un serment est sacré et que l'honnêteté, la fidélité et le courage sont de grandes qualités. J'ai vu que tu as aussi des cicatrices, fines mais longues. Elles t'ont été portées par les lions blancs d'Ectaïr, n'est-ce pas ?

— Oui. Par Griffon et par Croa quand ils étaient jeunes. Et aussi par Griffo, bien sûr.

— Griffon et Croa ?

— Les parents de Griffo.

Storine baissa la tête.

— Ils ont été abattus par un géant que je retrouverai un jour et que je punirai.

Marsor vit les yeux verts de l'enfant devenir presque noirs. Il émit un sifflement dubitatif :

— Je vois…

Il se releva et posa doucement ses mains sur les épaules de la fillette.

— Je crois que tes autres cicatrices vont disparaître avec le temps. Les lions ne faisaient que jouer avec toi.

— Bien sûr ! s'exclama Storine, incapable d'imaginer une seconde que ses amis auraient pu lui faire du mal.

— Tiens, je vais partager un secret avec toi. Que penses-tu de… ça ?

Il souleva le pan de sa tunique et il lui montra son thorax musclé, parsemé de touffes blondes et blanches. Une profonde cicatrice labourait sa poitrine de la clavicule gauche jusqu'au bas du côté droit.

Storine suivit du doigt le sombre sillon.

— C'est un lion blanc qui vous a fait ça ?

— Il y a très longtemps, sur Ectaïr.
— Vous avez essayé d'en défier un ?
— Un roi, précisa Marsor.
— Et il vous a laissé vivre !
— Il m'a... laissé vivre, dis-tu ? s'étonna l'Amiral.
— Bien sûr ! S'il avait réellement voulu vous tuer, il n'aurait pas retenu ses griffes. C'est drôle, je suis sûre qu'il ne voulait pas vous tuer.
— C'est exactement ce que je me suis dit, murmura l'Amiral.

Conscients de vivre une complicité mystérieuse, ils s'observèrent longuement. Enfin, n'y tenant plus, encouragés par les couinements de Griffo, ils éclatèrent de rire comme deux enfants. Au bout de quelques minutes, rouges et essoufflés d'avoir tant ri, Marsor ouvrit sa grande main et Storine, sans hésitation, y glissa la sienne.

— Vous êtes sûr que vous n'êtes pas mon père ? demanda-t-elle, le visage levé vers lui, les yeux brillants de larmes.

19

Quouandéra

La navette civile demanda l'autorisation d'entrer dans le périmètre de sécurité de la base flottante de Quouandéra. L'espace, autour de l'immense astéroïde, était envahi par des centaines de croiseurs immobiles. Le petit appareil se faufila parmi eux comme une mouche.

De loin, la station astéroïde semblait naturelle avec ses larges cratères granitiques, ses pignons rocheux escarpés, ses montagnes et ses profondes vallées encaissées. Mais en s'approchant, on découvrait les nombreux bâtiments construits par l'homme et le fourmillement des tunnels lumineux qui les reliaient les uns aux autres.

L'appareil se positionna à la verticale de son couloir d'atterrissage, sous les sévères

miradors où brillaient les batteries de défense antiaérienne. Conçu comme une base militaire navigable, l'astéroïde de Quouandéra gravitait autour de Zéphra, une étoile bleue solitaire formée dans la zone spatiale tampon entre les États de Phobia et ceux de Branaor. La quatrième flotte de l'armée impériale, stationnée depuis peu autour de Quouandéra, déployait ses navires avec une ostentation qui sentait la guerre.

Le commandor Sériac Antigor pestait de devoir se rendre sur Quouandéra, à bord d'une navette de location. Mais, si le haut commandement l'avait fait venir, cela voulait dire que ces officiers gras et obséquieux avaient, une fois de plus, besoin de ses services…

Depuis neuf ans, bien qu'ayant été nommé commandor impérial, Sériac n'était affecté à aucune unité en particulier. Au début, cette mise à l'écart l'avait jeté dans une profonde dépression nerveuse. Mais, très vite, le tribun de la quatrième flotte, Aris Thesalla, avait pris contact avec lui pour l'employer comme agent secret.

Entre deux missions, le commandor conservait une liberté presque totale, un vaste

réseau d'informateurs et de solides moyens financiers, ce qui lui avait permis jusqu'à présent de veiller à ses propres affaires... Sériac grimaça en repensant à la petite Storine. Après avoir été abordés par les guerriers de Marsor qui leur avaient volé de nombreuses pièces haute technologie, Corvéus et lui avaient dû abandonner la navette devenue hors d'usage. À bord d'une nacelle de sauvetage, ils avaient dérivé pendant des jours dans l'espace avant de se poser en catastrophe sur une des stations minières de la planète Physias. Le souvenir de cette épreuve humiliante ravivait ses brûlures d'estomac.

Il descendit sur la passerelle vêtu de sa plus belle tenue de cérémonie : un uniforme bleu brodé d'or, une belle cape de velours noir, et son précieux sabrolaser à la hanche. Le commandor inspecta ses bottes. « Un homme, se dit-il, est toujours jugé d'après ses bottes... même quand il n'en porte pas. »

Puis il se présenta au poste de contrôle. On l'introduisit immédiatement dans les bureaux du tribun. Les deux hommes se saluèrent spartiatement. Le tribun avait un visage carré, des yeux auxquels rien n'échappait et une coloration de peau très sanguine. Massif, vêtu de l'ample tunique pourpre de son rang, il

arborait la mine froide et analytique de ces officiers intelligents qui savent d'instinct évaluer les situations les plus délicates. Le tribun jeta un regard désapprobateur sur la tenue trop voyante du commandor… et sur ses bottes !

Sériac n'eut pas besoin qu'on lui explique pourquoi son arrivée au quartier général de la quatrième flotte aurait dû être beaucoup plus discrète : les couloirs menant aux bureaux du tribun fourmillaient de journalistes, une race de gens que Sériac détestait presque autant que les androïdes. Le premier mot de Thesalla, à peine chuchoté, le remplit pourtant d'espoir : « Marsor. » Sériac en oublia aussitôt sa bévue et se félicita d'être arrivé sur Quouandéra à bord d'une petite navette anonyme. On le fit entrer dans un salon cossu qui empestait un mélange d'épices, de bois précieux et d'alcool. Une autre personne était déjà assise à la lourde table.

Le commandor jaugea mentalement le gros civil chauve aux yeux globuleux et au teint violacé, vêtu d'un épais manteau couleur saumon. « Un marchand galactique de la race des Maûroriens, sans doute. » Le commandor se permit un de ses rares sourires, s'assit à la droite du tribun et alluma consciencieusement

un de ses longs et fins cigares ambrés. La discussion promettait d'être intéressante…

Une langue chaude réveilla Storine. Un instant auparavant, la fillette rêvait qu'elle se trouvait sur Ectaïr, au bord de son étang ensoleillé. Santorin sortait de l'eau, ses longs cheveux roux trempés. Assise dans l'herbe, les bras enserrant ses genoux, Storine lui demandait qui il était vraiment et pourquoi il voulait l'enlever. Santorin répondait en lui souriant affectueusement, mais la fillette n'entendait rien. C'est alors que Griffo la réveilla en lui lavant le visage.

Elle se trouvait dans la petite pièce attenante au salon, dans les appartements de Marsor. Installé exprès pour elle, son lit était adossé à cette grande fenêtre pyramidale qui donnait directement sur l'espace et que Storine trouvait fascinante.

Elle se leva et se creusa la cervelle pour se rappeler où étaient les toilettes. Griffo les avait trouvées, lui…, dans un coin de la pièce ! La fillette fronça le nez et se promit de continuer de lui enseigner les bonnes manières. Soudain elle s'arrêta, les yeux posés sur l'espace infini par delà la baie vitrée. « Tout ce noir ! Tout ce vide ! » Elle s'accroupit et se mit à pleurer doucement. Son cœur, sa vie étaient comme le cosmos, immensément vides.

La veille, tard dans la soirée, Marsor le pirate s'était mis au piano et lui avait joué une musique cristalline si tendre, si belle qu'elle s'était mise à pleurer. Il lui avait montré sa collection d'animaux miniatures ; toutes sortes de bestioles inimaginables que l'Amiral avait lui-même sculptées dans un bois noir qui sentait les épices. Tandis qu'il parlait, Storine ne pouvait s'empêcher de contempler ses mains : noueuses, puissantes, et pourtant si expertes !

Puis il l'avait raccompagnée dans cette pièce qui était son bureau et où elle dormirait désormais. Il l'avait bordée. Sa grosse main s'était posée sur ses cheveux. Elle avait senti une merveilleuse chaleur l'envahir. Griffo n'avait pas protesté et s'était tranquillement couché sur la moquette grise, au pied du lit.

« Marsor, le pirate. Où est-il ? Que fait-il ? » se demanda-t-elle en essuyant ses larmes du revers de sa manche. Elle s'étonnait de son désir de le voir à côté d'elle. Ensemble, sans se dire un mot, ils auraient contemplé l'espace.

Soudain, Griffo se mit à gronder. Storine suivit son regard et découvrit Urba, blotti dans le chambranle de la porte. Cette façon qu'avait le majordome d'apparaître sans faire de bruit commençait sérieusement à l'énerver. Son visage plissé le faisait ressembler à une vieille pomme pourrie. Storine se leva et planta ses yeux verts dans les siens. Le majordome baissa aussitôt le menton. Puis, alors qu'il ouvrait la bouche pour parler, Storine l'interromptit :

— Excusez-moi, je dois aller aux toilettes.

Elle le planta là, bouche bée, abasourdi par tant d'impolitesse. Au retour de Storine, le majordome n'avait pas bougé d'une semelle. Sur son avant-bras, il tenait un tricot jaune, un pantalon vert pâle, une ceinture orange et une courte cape orange et vert. La paire de souliers qu'il tenait dans son autre main était assortie à la tenue. Les yeux de Storine se mirent à scintiller.

— Que c'est joli !

Elle prit les vêtements, approcha le tricot contre sa joue et se mira dans le reflet de la grande fenêtre.

— C'est mon père qui a choisi ces vêtements pour moi ?

— Habille-toi vite, répliqua froidement Urba, sans répondre à la question.

Storine tint le tricot à bout de bras. Le col roulé, vert pâle, descendait en pyramide inversée sur la poitrine, puis s'ouvrait en triangle sur l'abdomen. Le centre du motif était lui aussi une pyramide, de couleur orange ; un rond de même couleur brillait au niveau de l'estomac. La cape comportait deux petites poches intérieures. Des anneaux de tissu jaune, surmontés d'une boucle, étaient cousus aux coudes et sur le pantalon juste en dessous des genoux, ce qui fit croire à Storine que ce drôle de vêtement pouvait s'accrocher à une patère, soit par les manches, soit par les jambes.

— Allons ! s'impatienta Urba. Le petit déjeuner t'attend.

— Où est… mon père ? demanda Storine, à la fois surprise et heureuse de pouvoir appeler Marsor ainsi.

« Même s'il m'a dit que je n'étais pas vraiment sa fille », pensa-t-elle avec un petit pincement au cœur.

— L'Amiral a autre chose à faire que de s'occuper d'une gamine, rétorqua le majordome.

L'étincelle de mépris dans les yeux d'Urba, qui se retourna tandis qu'elle s'habillait, ne

réussit pas à entamer la bonne humeur de l'enfant. En serrant la boucle latérale de sa ceinture surmontée d'une gemme précieuse, elle se sentait la plus belle et la plus heureuse petite fille de la galaxie.

— Quand tu auras déjeuné, tu reviendras ici.

— Pourquoi ?

Urba fronça les sourcils en désignant les dégâts causés par le jeune lion.

— D'abord pour apprendre à ta bête la propreté. Ensuite pour y prendre tes leçons.

— Des leçons !

Storine n'était pas certaine que cette idée lui plaise. En passant dans le grand salon, elle sentit sa tristesse lui revenir. Urba n'aimait pas Griffo. Et puis que devenaient Ysinie et Eldride ?

Le tribun Thesalla s'assit en bout de table, puis il enfonça une touche d'une console numérique. Un projecteur holographique s'alluma au centre de la table. Des images tridimensionnelles se mirent à défiler : une chronique complète des méfaits perpétrés par la flotte de Marsor. Le gros Maûrorien, assis à droite du commandor et présenté comme étant le président de la guilde des marchands de Sygma, se plaignit au tribun. À l'entendre, Marsor avait réduit de moitié le chiffre d'affaires des membres de sa guilde.

— L'attaque de la dernière caravane, geignit-il, a privé les producteurs de brinium, sur Sygma 4, de la quasi-totalité de leurs bénéfices.

Son visage crispé disait à quel point il était à bout de patience, comme la plupart de ses collègues marchands. Sériac, qui ne se sentait nullement concerné par les problèmes commerciaux, comprit que cet homme, porte-parole de milliers d'autres, était venu adresser une supplique au gouverneur de Quouandéra.

— Monsieur le président, lui répondit Thesalla en parfait diplomate, le gouvernement impérial est conscient de ces problèmes. Le but de cette réunion, n'en doutez pas, est l'arrestation de Marsor et l'anéantissement de sa flotte.

Toujours en éveil, l'instinct du commandor l'avertit que le tribun lui cachait quelque chose : « Tout le monde sait que Marsor menace le commerce interspatial, pensa-t-il, ça ne date pas d'hier. Cette discussion n'a pas de sens. »

Après un long discours ampoulé du diplomate, le président de la guilde quitta la pièce. Habilement manœuvré par le tribun, le marchand allait rassurer l'opinion publique en répondant aux questions piégées des journalistes.

Thesalla ralluma l'écran holographique et se cala dans son fauteuil. La bande-reportage montrait en détail la structure intérieure du *Grand Centaure*. La voix rocailleuse qui commentait les images était celle d'un homme qui devait avoir une très haute opinion de lui-même. Très complet, le film exposait sans mystère les secrets de la flotte pirate, ses techniques de combat, sa force de frappe, mais aussi la vie quotidienne, les règles, les coutumes, les usages et la structure sociale de toute l'armada. Lorsque les dernières images se dissipèrent, le tribun se tourna vers Sériac.

— Votre avis, commandor ?

— C'est pour le moins surprenant, répondit prudemment celui-ci.

Le tribun sourit, puis appela son aide de camp :

— Veuillez amener la « chose », je vous prie.

La double porte du bureau glissa en silence. Deux fonctionnaires firent rouler sur

la moquette une sorte de grand cercueil peint en jaune.

— Qu'est-ce que ça veut dire ?

— La voix que vous avez entendue tout à l'heure, commandor, était celle de l'ex-premier lieutenant de Marsor, le guerrier Torgar.

— Ex ?

— Un peu de patience…

Sur un signe de sa part, un des fonctionnaires actionna une petite télécommande, et le couvercle métallique du conteneur s'ouvrit dans un bruit grinçant de charnières rouillées. Un nuage de gaz nauséabond se répandit dans la pièce.

— Notre ami Marsor a dû faire face à une mutinerie dernièrement. Hélas, il en est venu à bout. Nous y avons perdu notre principal informateur.

— Torgar ?

— Décapité. Fort heureusement, ce pirate tenait à son alliance avec nous et nous a envoyé un petit cadeau…

Le tribun invita Sériac à jeter un coup d'œil dans le conteneur. Le commandor fit une affreuse grimace.

— Vous… n'êtes pas sérieux, tribun ?

— Au contraire, mon ami ! Je vous présente Spiros Cinq, un androïde entièrement à la dévotion de feu Torgar. Ensemble, je ne doute pas que vous parviendrez à mettre sur pied un plan d'attaque qui sera fatal à Marsor.

Lorsqu'on eut enlevé la « chose », Thesalla se rassit et alluma un cigare.

— Commandor, voici votre ordre de mission. Vous devez arrêter le pirate, mais, j'insiste, prenez-le vivant !

Devant le visage sombre de Sériac, le tribun haussa les épaules. Cet ordre venait de très haut. Lui-même ignorait s'il émanait du commandor suprême des armées, de l'impératrice ou bien du grand chancelier. Et franchement, il s'en moquait. Voyant que Sériac affichait toujours la même expression lugubre, il ajouta, cynique :

— De grâce, commandor, ne faites pas cette tête-là !

20

L'implant

Storine passa les six jours suivants à apprendre à Griffo à ne plus faire ses besoins partout dans le *Grand Centaure.* Plusieurs fois, elle faillit s'arracher les cheveux, mais elle finit tout de même par inculquer au jeune lion les premières notions de la vie en société. Puis on la confia aux bons soins d'un précepteur.

Il s'annonça le septième matin. Dans la sombre lumière violette de sa chambre, Storine vit s'avancer une silhouette courbée. Un visage affreusement mutilé se pencha sur son lit. La fillette eut un mouvement de recul. Une voix douce lui marmonna mi-amusée, mi-outragée :

— Eh bien, c'est comme ça que tu accueilles tes amies…

Storine reconnut la vieille Ysinie et lui ouvrit tout grands ses bras.

— Toi ! Oh, Ysinie, je me faisais tant de souci !

La fillette posa sa joue contre la poitrine de la vieille femme. Elle lui rappelait tellement sa grand-mère qu'un instant les larmes lui vinrent aux yeux.

— Je vais bien, petite, je vais bien, lui répéta Ysinie en la berçant doucement.

Inquiète du sort d'Eldride depuis qu'elles avaient été séparées, Storine lui demanda de ses nouvelles. Pour ne pas la bouleverser, Ysinie, qui avait pardonné à Eldride sa brutalité à son égard, crut bien faire en lui mentant. L'adolescente allait bien et les deux amies pourraient bientôt se revoir. Puis, très vite, elle changea de conversation.

— C'est donc ici que tu vis à présent !

Ses orbites vides étaient effrayantes, mais elle souriait.

— Comme je suis heureuse pour toi, ma petite fille…

Si elle avait été aussi attentive aux humains qu'elle l'était aux fauves, Storine aurait senti dans la voix d'Ysinie de la surprise, de la joie… et aussi beaucoup d'inquiétude. Mais toute à son bonheur, la fillette la prit par la main et lui fit visiter le grand appartement.

Après quelques minutes, la vieille esclave la prit gravement par les épaules.

— À présent, va t'habiller, prends ton petit déjeuner et suis-moi. L'Amiral m'a chargée de te faire visiter les ponts supérieurs du vaisseau et de répondre à toutes tes questions.

Griffo appréciait beaucoup sa nouvelle vie. Plus de cage, plus de muselière. La nourriture était excellente et il prenait du poids. Il faisait de gros efforts pour retenir tout ce que sa maîtresse tentait de lui apprendre, ce qui n'était pas si facile que ça.

Le jeune lion trottinait au milieu des guerriers et des esclaves, reniflant les uns, grondant après les autres, attentif à la moindre odeur nouvelle. La nuit, couché sur le lit de Storine, il la regardait dormir. Il venait coller son nez contre la peau tendre de son cou et il restait là, pendant des heures, à écouter le rythme familier et rassurant de sa respiration. Il connaissait chacun de ses parfums, apprenait avec amour à déchiffrer chacun de ses sourires, de ses expressions, de ses grimaces, des inflexions de sa voix, des différentes teintes de vert que prenaient ses yeux.

Griffo se laissait envelopper par les pensées de Storine. Il savait immédiatement si elle était triste, joyeuse ou en colère. Quand elle lui enlaçait le cou et frottait sa joue contre son nez, son cœur bondissait de joie. Il aimait ses caresses. Il adorait le timbre cassé de sa voix. Souvent, ce n'était plus une petite fille qu'il voyait. C'était une lionne immense. Parfois aussi, quand Storine était fâchée contre lui, Griffo ne voyait plus sa mère. C'était Griffon, son père, qui lui apparaissait. Griffon, sa force, son courage, son autorité.

Griffo aimait beaucoup l'Amiral. Marsor, aussi, s'était pris d'affection pour le jeune lion. Le soir, il lui donnait son repas. Au début, Storine guidait la main de l'Amiral afin que Griffo s'habitue à son odeur. Entre le pirate et le fauve, le courant passait. Storine riait volontiers et disait à son père : « Vous avez du lion dans le sang ! » Ce qui rendait l'Amiral si heureux que, pour quelques instants, les rides de son front disparaissaient.

Tous les matins, l'Amiral prenait son petit déjeuner avec sa fille. Le scintillement des étoiles, par-delà la baie vitrée, leur servait de paysage. La drôle d'intimité qui s'était rapidement développée entre eux rendait parfois le pirate songeur. Il ne lui parlait jamais de

ses soucis, mais la fillette, très intuitive, devinait que, sous sa carapace de chef, il se sentait parfois très seul. Souvent, elle s'étonnait de ressentir autant de compassion et de tendresse pour cet homme grand et fort, cet homme qu'elle ne connaissait que depuis peu… mais qu'elle avait l'impression d'avoir toujours connu ! Sa gorge se serrait. Sans vraiment savoir pourquoi, des larmes lui montaient aux yeux. Alors elle se disait que malgré ce que Marsor affirmait, elle devait quand même être sa fille. À sa naissance, pour la protéger peut-être, on l'avait confiée à grand-père et grand-mère sur Ectaïr. Dans ce cas, songeait-elle, Sériac avait été chargé de la récupérer pour nuire à Marsor. Chaque fois que Storine tentait de mettre tous ces éléments bout à bout, elle se sentait heureuse. Malheureusement, très vite, des incohérences surgissaient, ce qui lui donnait d'horribles maux de tête. À la fin, elle n'y comprenait plus rien et restait silencieuse des heures entières.

— Sto, lui dit un matin l'Amiral, je veux que tu viennes avec moi au centre médical. Tu es jeune, ta planète d'origine est loin. Tu l'ignores peut-être, mais l'espace et les planètes que nous visitons peuvent être dangereux pour toi.

Depuis son adoption, la flotte avait en effet envoyé plusieurs croiseurs sur des planètes sauvages afin de renouveler les stocks d'eau et de nourriture. Storine avait déjà accompagné l'Amiral, même si celui-ci, chaque fois, s'était montré réticent.

— Pourquoi est-ce que c'est dangereux ? s'informa Storine.

— L'atmosphère de ces planètes, qu'elles soient de classe H ou pas, contient des virus qui pourraient te tuer.

Storine avait appris les différentes classes des mondes composant l'espace. H signifiait *habitable* pour l'homme.

— C'est pour cela que je voudrais te faire inoculer le vaccin universel. Mais, attention, ce vaccin est très puissant. Tu seras malade pendant au moins deux semaines. Certains en meurent. Mais, rassure-toi, nous avons dans la flotte des médecins qui valent ceux de l'empire.

Ce jour-là, Storine marcha fièrement au bras de son père adoptif. Ils se rendirent à l'infirmerie, croisant de nombreux guerriers ainsi qu'Astrigua, la maîtresse des esclaves. Griffo trottinait joyeusement à leurs côtés. Storine était si heureuse de se promener en

compagnie de l'Amiral, riant et plaisantant sans s'occuper des autres, qu'elle en oublia ce vaccin universel et ses dangers.

Marsor se faisait un devoir de tout lui expliquer, comme si elle n'était déjà plus une enfant. Il lui raconta qu'en plus de la protéger de la plupart des maladies répertoriées sur les planètes de classe H, ce vaccin permettrait à son organisme de s'adapter plus rapidement aux différentes pressions atmosphériques des principales planètes habitables de l'empire.

Ce qui n'empêcha pas Storine de tomber gravement malade. Pendant plusieurs jours, son état fut si critique que le médecin de bord la crut perdue. Fou d'inquiétude, Marsor menaça l'homme de lui couper la tête si l'enfant mourait. Griffo, l'Amiral et Ysinie se relayèrent au chevet de Storine pendant une semaine entière. Quand vint le temps pour le jeune lion de se faire vacciner à son tour, Storine se remettait à peine de son épreuve. Autant dire qu'elle veilla sur lui comme une mère.

Astrigua ne décolérait pas. Voir quotidiennement l'enfant et son horrible bestiole parcourir en riant les couloirs du *Grand Centaure* la jetait dans des rages épouvantables. Cent fois, elle s'était reproché d'avoir manigancé

l'ascoria manquée entre Pharos et Storine. N'était-ce pas à cause de cette erreur que l'Amiral avait remarqué la gamine ! Elle reporta sa frustration sur les esclaves du bord et, en particulier, sur Eldride qu'elle poursuivit de sa hargne.

Elle ressentait une haine féroce pour « la fille aux cheveux orange ». Qui était-elle vraiment ? Un des enfants que l'Amiral avait réellement eus de ses nombreuses maîtresses ? Elle-même, ancienne amante de Marsor, aurait très bien pu lui donner des enfants ! Cette connivence, cette complicité, cette tendresse entre l'Amiral et l'enfant étaient révoltantes. Alors qu'elle-même avait jadis échoué, cette gamine, venue de nulle part, réussissait sans le moindre effort. Et ça, elle ne le supportait pas. Aussi décida-t-elle d'y mettre un terme. Par n'importe quel moyen…

Eldride apprit la maladie de son amie grâce aux « rumeurs » du bord. On murmurait également que l'Amiral, depuis qu'il avait adopté Storine, ne voyait plus ses maîtresses. Mortes de jalousie, celles-ci étaient prêtes à tout pour se débarrasser de la jeune intruse. « Il faut absolument que je la mette en garde, se disait Eldride. Et que je trouve un moyen de nous faire quitter la flotte… »

Un matin, la vieille Ysinie se mit à poser d'étranges questions à Storine.

— Tu vas beaucoup mieux. J'en suis bien heureuse... Et je vois que l'Amiral semble très satisfait de t'avoir auprès de lui.

— Il me répète toujours qu'il n'est pas mon véritable père, mais je ne le crois pas, répondit Storine en riant.

— Et... comment agit-il avec toi ? Je veux dire, le soir, quand vous êtes seuls, tous les deux.

— On s'assoit avec Griffo. Il joue du piano ou il me lit des histoires.

— Quelle sorte d'histoires ?

— Plein d'histoires ! Il me raconte la vie des grands guerriers ou des explorateurs célèbres. Il m'explique l'empire, il me fait apprendre les noms et l'histoire des différents États. Tu savais, toi, que notre empire n'est qu'un vulgaire grain de sable dans la grande galaxie ? Père m'a dit que, dans son étendue, notre espace « connu » ne mesure pas plus de trente-cinq années-lumière. J'apprends aussi les noms des empereurs, les dates des grandes batailles, des traités de paix et l'histoire des dieux qui ont engendré la famille impériale d'Ésotéria. Tu connais le dieu Vinor ? Père raconte bien et j'apprends vite. C'est vraiment pas comme à l'école ! Et puis, on regarde des films holographiques, et il me fait rire.

La vieille Ysinie n'en croyait pas ses oreilles. Marsor le pirate, l'homme le plus dangereux et le plus recherché de l'espace… « connu », comme disait Storine, se changeait en simple professeur pour une gamine tête en l'air ! Trente-cinq années-lumière, leur empire ! Qu'est-ce que ça voulait dire ?… Le visage de la Vieille-Sans-Yeux se froissa comme une pomme.

— Mais, insista-t-elle, vous ne faites rien d'autre ? Je veux dire, est-ce qu'il s'approche de toi, te caresse… te… Je suis sérieuse, Storine ! Savais-tu que l'Amiral ne voit plus ses maîtresses depuis qu'il t'a adoptée ?

Storine haussa les épaules. Déroutée, Ysinie ne savait plus quoi dire quand la fillette ajouta, pensive :

— On se tient souvent par la main. J'aime beaucoup ça.

— Et… c'est tout ?

— Père me parle de sa vie, de quand il était petit. Il me raconte les prophéties d'Étyss Nostruss. Il a tous ses livres dans sa biblio-

thèque. C'est écrit dans une langue ancienne. En code. Chut ! fit-elle avec un doigt. C'est un secret.

Ysinie ne brillait pas par sa culture ; elle se contenta de secouer pensivement la tête.

Comme tous les soirs, l'Amiral s'installa confortablement dans son fauteuil, en face du lit de Storine, et ouvrit un vieux livre poussiéreux. Griffo et la fillette, plongés dans un monde qui n'appartenait qu'à eux, sommeillaient en regardant par la baie vitrée les mille lueurs d'une immense nébuleuse. Griffo se mit à couiner. Alors, comme elle le faisait toujours avant de s'endormir, Storine lui massa fermement la nuque à pleine main, ce qui arracha au jeune fauve des grognements de plaisir. Faussement plongé dans son livre, Marsor les observait du coin de l'œil. Il ne se lassait jamais de ce spectacle et savourait tout particulièrement ce moment de la journée. Il s'éclaircit la voix.

— Étyss Nostruss, Storine, lui dit-il en reprenant la leçon de la veille, vivait il y a quatre cents ans. Il était de noble naissance mais opposé aux maîtres missionnaires et à

leur version du *Sakem*. Je t'ai déjà parlé du *Sakem*? C'est le livre sacré qui relate la vie et les commandements d'Érakos, le grand unificateur !

— Ces deux hommes, poursuivit Storine, est-ce qu'ils ne possédaient pas, eux aussi, le don de se faire aimer des lions blancs ?

— Oui, c'est exact. Ils sont même les deux uniques personnes, à ce qu'on dit, à avoir possédé le glortex. Mais comment le sais-tu ?

— Sur Ectaïr, Santorin me parlait d'eux, lui aussi.

Le front de Marsor se plissa de profondes rides et son regard se fit plus pénétrant.

— Ce Santorin, Storine, c'était ton ami, n'est-ce pas ?

— Oui. Il était drôle, fort et bon. Comme vous.

L'Amiral referma son livre et s'approcha de l'enfant.

— Griffo, fais-moi une place, veux-tu ?

Il s'assit sur le lit. Ses yeux bleus brillaient étrangement. Dans ses grosses mains rugueuses, il prit celles de Storine et déposa un baiser dans chacune de ses paumes.

— Storine, sais-tu qu'Étyss Nostruss a écrit de nombreuses prophéties dont les plus importantes concernent notre époque ?

Sans attendre la réponse de l'enfant, il poursuivit :

— Il dit ceci, que je te traduis à peu près : « *Noirs nuages dans l'espace, de l'âme des hommes surgit le Monstre. Deux lionnes. L'une noire, l'autre blanche. Tempête, sang et gloire. Chaos. Les étoiles elles-mêmes trembleront.* »

— Qu'est-ce que ça veut dire ?

— Peu de gens dans l'empire sont capables de bien interpréter les écris d'Étyss Nostruss. Mais j'ai longtemps étudié ses textes et je crois, si ma traduction est juste, qu'il annonce l'arrivée d'une période de troubles dans l'empire. Et celle, à mon avis, d'un grand affrontement entre deux femmes d'une grande puissance.

Perdu dans ses pensées, il se tut. Puis il ajouta en éclatant de rire :

— Certains pensent que ce Monstre dont parle le prophète, c'est moi ! Mais ils se trompent. Le danger est bien plus grand... Mais dors maintenant, fillette, et ne pense plus à ce que je t'ai dit ce soir.

Il l'embrassa sur la joue, la borda avec soin. Après une dernière caresse pour Griffo, il éteignit la lampe et quitta la chambre.

Trois jours plus tard, alors que la flotte approchait des relais impériaux stationnés aux frontières des États sauvages de Phobia, le médecin-chef du *Grand Centaure* vint trouver l'Amiral. Sur la passerelle, Marsor ordonnait aux unités de se morceler et de passer les relais séparément afin de ne pas donner l'alerte.

— Quelle nouvelle m'apportez-vous ? demanda le pirate.

— Vous aviez raison, Amiral, répondit l'homme de science. Lors de la vaccination de la petite, nous avons pris des radios de son cerveau. Je voudrais vous montrer quelque chose…

Ils passèrent dans un bureau privé attenant à la timonerie. Marsor les inspecta à la lumière.

— Regardez, là, dans la poche située juste derrière l'hypophyse. Cette minuscule tache sombre.

— C'est vraiment minuscule…

— Peut-être, mais il s'agit tout de même d'un implant.

— De cette grosseur, vraiment ?

— Officiellement, les implants sont beaucoup plus visibles, je l'admets. Cependant, il s'agit là d'une intervention humaine. Je dirais

qu'on lui a greffé cette puce dès sa naissance. J'ai ici des agrandissements. Tenez...

L'Amiral observa les différentes parties du cerveau de Storine. Ce minuscule implant artificiel ne laissait aucune place au doute.

— Pourrait-il s'agir d'une sorte d'amplificateur d'ondes cérébrales ? Ça expliquerait la force de son glortex.

L'homme tritura sa petite barbiche verdâtre.

— Je ne crois pas. Ce don est naturel chez elle. Je ne l'ai vue que deux ou trois fois, mais observez combien elle apprend vite. Les mathématiques ou les langues, par exemple...

— Bien sûr ! s'exclama l'Amiral, saisi d'une inspiration subite. Ça fait à peine six mois qu'elle est à bord et elle maîtrise déjà à merveille les vingt différentes langues utilisées d'un bout à l'autre de la flotte.

— Le plus stupéfiant, ajouta le médecin, c'est que pour elle, c'est si naturel qu'elle ne s'en rend même pas compte. D'un autre côté, je suis certain que ce genre d'implant n'existe pas dans notre médecine officielle. Ou alors, pas encore. Sa puissance est phénoménale. Qui plus est, j'ai ici d'autres clichés...

— Donnez !

Les yeux agrandis par la surprise, l'Amiral put voir un symbole héraldique microscopique gravé sur l'implant.

— Extraordinaire, n'est-ce pas ?

— Docteur, répondit Marsor d'une voix sourde en le dévisageant, détruisez vos dossiers. Dorénavant, votre vie dépend de votre silence absolu…

Quelques jours plus tard, persuadé que cet implant n'aidait pas seulement Storine à apprendre des langues, l'Amiral décida de lui enseigner l'art du sabre et celui du pilotage.

21

L'alliance

Creusé à même la roche, le restaurant surplombait une obscure vallée dont les flancs abrupts semblaient sans fond. Dans le ciel de Quouandéra brillait l'éclat argenté des coques d'une centaine d'appareils de guerre.

Un verre d'alcool à la main, Sériac restait songeur. Il n'était pas convaincu que ce déploiement de forces ait pour seul but la capture de Marsor le pirate. Grand amateur d'alcools importés, le commandor humait le bouquet prometteur d'un apéritif de luxe venu d'Ésotéria, la lointaine capitale de l'empire. À ses côtés, l'androïde Spiros Cinq n'en finissait pas de bavarder. Cela faisait quelque temps déjà qu'ils étaient forcés de travailler

ensemble, et Sériac, même s'il reconnaissait l'efficacité de Spiros, était prêt à toutes les extrémités pour se débarrasser de ce partenaire indésirable.

— À notre collaboration ! proposa l'androïde en levant son verre d'alcool.

Construit à l'image du pirate Torgar, son maître, Spiros Cinq, dont on reconnaissait le visage de métal à cent pas, était vêtu d'un costume trois pièces en soie noir et bleu, car disait-il : « C'est plus seyant qu'un pourpoint de cuir taché de sueur ! » L'ensemble était plutôt choquant et Sériac, conscient que tous les regards étaient fixés sur eux, serrait les dents de colère.

— Jusqu'à présent, et ce, grâce à mes contacts à bord du *Grand Centaure*, nos affaires progressent, commandor, fanfaronna l'androïde de sa voix fluette qui contrastait tant avec son apparence massive. Et croyez-moi, ajouta-t-il, ce n'est qu'un début !

Mal à l'aise de se retrouver assis face à une machine stupide et prétentieuse dans ce superbe restaurant fréquenté par les officiers supérieurs et les riches armateurs, Sériac planta sans délicatesse sa fourchette dans sa fricassée d'algues importées des dangereux « marécages de l'âme » de Phobia.

« Cause toujours, mon ami de fer-blanc, pensait-il, l'important c'est qu'on en finisse, et vite ! »

Spiros engloutit son verre d'alcool, eut une moue comique, puis recracha bruyamment le breuvage.

— Trop salé…, fit-il, penaud.

Le commandor trouvait ridicule l'acharnement de cet androïde qui tentait, par tous les moyens, de passer pour un être humain. Il serra les poings sous la table pour s'empêcher de lui tordre le cou. Il avait promis au tribun de faire des efforts et il tenait parole. Mais à quel prix !

— À propos, cher associé, reprit Spiros Cinq, j'ai obtenu le petit renseignement que vous cherchiez. La petite Storine…

Sériac sentit les battements de son cœur s'accélérer dans sa poitrine.

— … a bel et bien été recueillie à bord du *Grand Centaure*, comme esclave. D'après mes sources, et elles sont dignes de confiance, je…

— Droit au but, droit au but…, ordonna le commandor.

— Eh bien, elle vit dans le coral des femmes, un endroit… Si vous saviez !

— Est-elle bien traitée au moins ?

— Eh bien, je…

Exaspéré, le commandor abattit son poing sur la table.

— Y a-t-il autre chose que vous vouliez savoir, commandor ?

— Dis-moi donc un peu ce que sont devenus les quatre premiers Spiros ?

Mais Sériac n'entendit pas l'androïde bredouiller que son maître Torgar, insatisfait des précédents modèles, les avait tous détruits. Soulagé d'avoir enfin des nouvelles de Storine, il songeait déjà à un plan pour la récupérer quand ils donneraient l'assaut au *Grand Centaure*.

Devant le silence pour le moins inhabituel de l'androïde, le commandor leva les yeux.

— Eh bien ?

— Je dois ajouter que Marsor a remarqué la petite.

— Et alors ?

— Mon… contact à bord m'a appris que l'Amiral a des goûts… un peu spéciaux en matière de femmes et…

— Par les tripes de Vinor ! s'exclama le commandor en s'étouffant à moitié, ne me dis pas que…

Spiros Cinq baissa la tête.

— Il semble bien que oui, commandor…

— Le porc ! éructa Sériac, les joues soudain très pâles.

Storine adorait ses leçons de pilotage. L'Amiral expliquait bien. Avec lui, elle se sentait en confiance. Il posait ses mains sur les siennes, parlait bas dans son cou, la faisait rire. Sans y mettre d'effort, Storine apprenait vite. À l'école, elle n'avait eu que des mauvaises notes. Ici, dans l'espace, assise près de Marsor aux commandes d'un authentique chasseur pirate, tout lui semblait facile.

— Storine, lui dit l'Amiral, quand la fillette put ramener seule l'appareil dans les soutes du *Grand Centaure*, je suis très fier de toi. Demain, nous commençons le maniement du sabrolaser.

Pour la fillette, ces quelques mots valaient toutes les bonnes notes de la galaxie.

Le soir même, ils s'installèrent avec Griffo dans un angle du grand salon. L'Amiral fouilla dans une immense étagère et en sortit un minuscule disque argenté.

— Qu'est-ce que c'est ?

— Un enregistrement holographique.

Marsor plaça le disque sur le plateau d'un appareil encastré dans le mur. Aussitôt, une silhouette apparut au centre de la pièce. Les contours de son corps, d'abord flous et vaporeux, prirent peu à peu une consistance humaine. Quand l'image tridimensionnelle se stabilisa, on aurait pu croire à une présence physique. Storine sentit même, savamment reconstitués par le disque, les doux effluves du parfum de l'apparition. Elle tendit la main.

— Attention ! Si tu la touches, l'image mettra quelques minutes avant de se reconstituer.

Assise sur un banc de pierre et tenant une grande harpe d'or entre ses bras, la jeune femme devait avoir une vingtaine d'années. Il se dégageait d'elle beaucoup de douceur, d'innocence, ainsi qu'une certaine mélancolie. Sous de longs cils blonds, elle cachait presque ses beaux yeux verts, comme si elle venait de pleurer. Elle était vêtue d'une longue robe de mousseline blanche, et Storine contempla plus particulièrement ses longs cheveux orange qui tombaient en cascade sur ses épaules nues.

— Qu'elle est belle ! s'exclama-t-elle.

— Tu lui ressembles.

Pris d'une soudaine inspiration, l'Amiral se dirigea vers son piano aux touches de cristal. Il plaqua ses mains sur les notes, à l'instant précis où la jeune femme commençait à chanter. Sa voix chaude était étrangement triste. Elle s'accompagnait en jouant de la harpe, et soudain, ce fut comme si elle était vraiment présente dans la pièce. Marsor mêla sa voix rocailleuse à la sienne. Fermant les yeux, Storine se laissa bercer par cet étrange duo et ce chant triste ; à n'en pas douter une chanson d'amour, qui parlait de la séparation imminente de deux amants que leurs conditions sociales condamnaient à la rupture. À la fin de la chanson, sans pouvoir se retenir, Storine pleurait à chaudes larmes.

Le film holographique s'estompa dans un tintement de cristal. À la grande surprise de Storine, l'Amiral avait aussi les larmes aux yeux. Quand il se leva pour récupérer son précieux disque, Storine comprit que cette chanson faisait partie de son passé. Toute retournée par le chagrin de l'Amiral, elle s'approcha et lui passa les bras autour du cou. Griffo se mit à couiner doucement, comme s'il voulait partager avec eux ce moment magique.

— C'est une femme que vous avez aimée ?

— Il y a trente ans de cela et pourtant, il me semble que c'était hier…

Storine aurait aimé en savoir davantage. Mais elle craignait, en le questionnant, de lui causer encore plus de chagrin. Depuis qu'elle vivait avec lui, elle avait appris à l'aimer. Elle se surprenait à attendre son retour, à guetter son pas dans les coursives du vaisseau. Et son cœur se serrait de le voir, lui le redoutable pirate, si triste parfois et si seul. Elle posa une grosse bise sur sa barbe blonde. L'Amiral marmonna quelques mots, si bas qu'elle n'en comprit pas le sens. Elle songea à l'interroger quand l'expression rêveuse, peinte sur le visage de l'Amiral, l'incita plutôt à respecter son silence.

Cette nuit-là, Storine fit un drôle de rêve. Poursuivie par des ombres qui crachaient des flammes, elle courait dans un immense palais de lumière, quand elle pénétra dans une salle remplie de colonnes torsadées d'or et d'argent. Là, sur un trône serti de pierres précieuses, une dame assise très droite tenait une grande harpe entre ses bras. Sur son front, scintillait un magnifique diadème. Storine et la vieille dame se dévisagèrent un long moment en se souriant. Puis une lionne noire surgit. Elle se ramassa puis bondit sur la dame. Aussitôt, la grande salle fut plongée dans les ténèbres et la fillette se réveilla, le visage couvert d'une sueur glacée, ses draps roulés en boule au pied de son lit.

22

L'embuscade

La flotte pirate arriva sans encombre dans la périphérie du système planétaire de Phobia. Lorsque les écrans radars du *Grand Centaure* repérèrent une station impériale, l'Amiral ordonna un arrêt complet.

Il n'existait que deux manières de forcer un barrage militaire : accepter un face-à-face brutal ou bien faire un immense détour, même si l'espace pouvait être miné.

Chaque État, chaque système planétaire de l'empire possédait de nombreux avant-postes militaires à ses frontières. Ces bases, généralement en orbite autour des pôles de sortie des grandes routes de l'hyperespace, contrôlaient le flux journalier des vaisseaux en transit. Une garnison plus ou moins importante épaulait la police des États en cas de

besoin. Mais, la plupart du temps, les systèmes foncièrement indépendants, comme Phobia, préféraient régler leurs litiges sans recourir aux services de l'armée impériale.

Marsor connaissait bien les douze planètes qui constituaient le système de Phobia. Son étoile rouge, Attriana la géante, nourrissait un ensemble de populations majoritairement humaines, toujours en conflit les unes avec les autres. Les souverains d'Ésotéria avaient bien tenté, par le passé, d'annexer ce système planétaire. Mais alors, inexplicablement, ces peuples belliqueux s'étaient unis pour repousser l'envahisseur. Les relations diplomatiques entre l'empire et le conseil des douze planètes étaient sporadiques, le commerce et l'exportation réduits au strict minumum, l'immigration officiellement interdite. De son côté, l'Amiral avait noué de solides liens d'amitié avec plusieurs potentats locaux.

Pour l'Amiral, la présence d'une base militaire si proche des frontières du système de Phobia était suspecte. Les radars du *Grand Centaure* découvrirent, à cinquante sillons de distance, six énormes plates-formes de construction privées.

Marsor se tourna vers son maître des communications :

— Ton rapport ?

— Il s'agit d'un chantier d'envergure, Amiral. Je dirais que ça ressemble à l'installation d'une sortie d'autoroute spatiale.

— Il n'y a aucune…, commença Marsor.

Mais il se tut et pensa : « Il n'y avait pas d'autoroute spatiale lors de notre dernière visite… » Si les autorités impériales en perçaient une à la frontière du système de Phobia, ce n'était pas uniquement pour faciliter des échanges commerciaux presque inexistants.

Il s'imagina en train d'expliquer à Storine l'utilité d'une autoroute spatiale. « On prend dans l'espace deux points très éloignés l'un de l'autre. On y installe des stations orbitales capables de générer et de concentrer une énorme quantité d'énergie en un endroit précis. Cette opération perce un trou dans l'espace-temps et permet à des appareils de voyager dans ce que l'on appelle le "Grand Néant". Ils peuvent ainsi franchir des dizaines d'années-lumière en quelques minutes seulement. L'empire possède déjà plusieurs de ces autoroutes. Avant, cela prenait des mois pour parcourir les mêmes distances ! »

Et il songea : « Autrefois, nous étions plus libres. L'espace était infini. Aujourd'hui, des transferts de troupes peuvent s'effectuer en quelques minutes et de plus en plus de caravanes commerciales empruntent ces corridors interdimensionnels. Tôt ou tard, ces autoroutes nous seront fatales. »

Marsor songea à ses alliés, les rois des planètes Cypriac, Notus 2 et Notus 4, ainsi que les princes guerriers des planétoïdes de Néphra. Que pensaient-ils de l'installation de cette autoroute ? Quelque chose ne tournait pas rond. Soudain, il ne se sentit plus aussi pressé de pénétrer en territoire phobien.

— Amiral ?

— Oui.

— Les lieutenants demandent l'autorisation de commencer l'opération Camouflage.

— Attendez ! Je veux qu'on envoie d'abord une patrouille d'éclaireurs. Ordonnez aux autres bâtiments de rester sur leurs positions.

Il pensa : « Je n'aime pas ça du tout. » Puis il quitta la timonerie pour contacter secrètement ses alliés sur la planète Notus 2.

Debout dans le bureau du tribun Thesalla, le commandor Sériac était furieux. Ce que

l'on venait de lui apprendre le forçait à repenser toute sa stratégie.

— Depuis quand l'empire projette-t-il une huitième tentative d'annexion de Phobia ? s'exclama-t-il. Il n'y a dans ce système ridicule aucune richesse, aucun minerai susceptible d'intéresser les financiers impériaux !

— Non, mais il y a l'esclavage et le grand banditisme spatial, répliqua froidement Thesalla.

— Comment ?

— L'esclavage a été banni de l'empire il y a des siècles, commandor…

— Je le sais bien.

— Pourtant le système de Phobia le pratique toujours et protège les esclavagistes de l'empire et des autres États indépendants. Nous savons que les marchands phobiens organisent des raids à l'intérieur de nos frontières pour capturer des hommes, des femmes et des enfants, citoyens de l'empire. Et il suffit qu'un de nos criminels demande asile au conseil des douze planètes pour échapper à nos tribunaux. Marsor, lui-même, ne se gêne pas pour négocier chez les Phobiens une grande partie de son butin. Notre bien-aimée impératrice a décidé que Phobia constituait désormais une menace pour l'empire.

— C'est pourquoi vous m'avez refusé le concours de votre flotte au complet pour piéger le pirate, lâcha Sériac, rancunier.

— J'ai étudié votre plan, commandor. Il est sans faille. Croyez-moi, une armée entière gênerait vos manœuvres. Tandis que les chasseurs et les moyens déjà à votre disposition s'intègrent à merveille dans votre stratégie.

Sériac songeait combien il lui serait pénible de voir ses espoirs de victoire s'envoler.

— Très bien, je m'incline, répondit-il. Mais en cas d'imprévus, je ne peux plus vous garantir le succès de l'opération.

Le tribun fronça les sourcils.

— Vous vous oubliez, commandor ! Si vous capturez Marsor, le Conseil des Douze verra que nous ne plaisantons plus, et le mérite de cette opération rejaillira sur vous.

«Je n'aime pas les officiers supérieurs, pensa Sériac. Ils jouent avec vous au chat et à la souris, ils vous utilisent comme des pions, puis ils vous jettent au panier.»

À la grande surprise de Sériac, Spiros Cinq, bien que très excentrique pour une machine sur pattes, remplissait scrupuleusement sa part du contrat. Les informations recueillies par ses espions rapportaient que Marsor et sa flotte approchaient de l'immense chantier de la nouvelle autoroute spatiale. Informations vérifiées par son propre service d'espionnage ! Sériac sourit. Ce chantier était au centre de sa stratégie...

Contrarié par les désirs de conquête des grands pontes d'Ésotéria, son propre plan pour récupérer Storine lui paraissait bien fragile. Quand Sériac s'apprêta à quitter le bureau du tribun, celui-ci lui rappela d'une voix impérieuse :

— Vous n'avez pas oublié pourquoi nous devons capturer Marsor vivant, n'est-ce pas ?

Sériac n'avait pas oublié. Le pirate disposait, pour franchir la station de barrage, d'une troisième méthode : l'invisibilité. Cette technologie, principal secret de sa puissance, faisait l'envie de tous les gouvernements de l'espace connu, depuis plus de trente ans...

Les sonneries d'alarme retentirent dans tout le vaisseau. Storine, qui jouait avec Griffo, retint son souffle. Depuis quelques jours, l'Amiral était fatigué, soucieux. Tyrsa, une des petites lunes de Notus 2, était le but de leur voyage. Quand elle traversait ce secteur de l'espace, la flotte y faisait relâche. « Le temps de se dégourdir les jambes dans un endroit merveilleux à l'abri de tout danger, lui avait dit son père adoptif. Les princes de Notus 2 m'ont autrefois vendu le droit d'explorer ce petit satellite, et ce que nous y avons découvert nous a remboursés au centuple. » Storine imagina aussitôt une immense lande sauvage parsemée de lacs, de montagnes, de vallées et de rivières cristallines. La flotte y disposait d'aires d'atterissage et d'installations spacieuses. « Nous y avons construit une petite cité que j'ai appelée Paradius. Elle est habitée par nos femmes et nos enfants. »

Depuis qu'elle connaissait l'existence de ce repaire, Storine ne se tenait plus d'impatience. Griffo et elle allaient enfin pouvoir courir en toute liberté. Comme de nombreux animaux sauvages vivaient aux abords de Paradius, Storine voulait profiter de ce séjour pour entraîner Griffo à l'art de la chasse. « C'est une excellente idée, lui avait dit l'Amiral. Je sais que le grand air vous manque. Nous irons ensemble. »

Mais la fillette avait vu l'inquiétude obscurcir le front de Marsor, et ça, c'était un très mauvais présage...

Astrigua rassembla ses hommes.

— L'Amiral ordonne le branle-bas de combat, gronda-t-elle en faisant claquer son fouet. Enfermez-moi tous les esclaves dans leurs quartiers.

Elle avisa un guerrier presque aussi gigantesque que Corvéus, le molosse du commandor.

— Toi ! Regroupe-moi tous les esclaves dangereux dans les caissons de sécurité.

La jeune Eldride était une des premières sur la liste. Astrigua fit une vilaine grimace : hélas, elle ne pourrait pas y enfermer Storine et sa sale bestiole.

« Mais elle ne perd rien pour attendre », songea la maîtresse des esclaves.

Puis, la mâchoire serrée, elle dispersa ses hommes.

Marsor avait appris que le commandor Sériac avait été dépêché sur Quouandéra pour le prendre au piège. Mais il ne pouvait plus reculer. Ses hommes avaient besoin de repos. Ils avaient besoin de s'amuser, de profiter de leur part du dernier butin. L'Amiral venait de recevoir un message inquiétant. Un de ses indicateurs, officiellement en poste à Quouandéra, lui rapportait qu'un ou plusieurs traîtres complotaient à bord du *Grand Centaure* et qu'un des androïdes de Torgar coordonnait leurs efforts et servait d'assistant au commandor.

— Par les cornes du *Grand Centaure* ! s'exclama l'Amiral.

Les chasseurs de reconnaissance étant revenus sains et saufs, il donna les ordres nécessaires pour que la flotte traverse la frontière. Bien sûr, il pouvait aisément détruire cette station impériale. Mais il ne souhaitait pas s'attaquer directement à l'armée. Pour l'instant, les écrans radars n'indiquaient aucun appareil militaire dans un rayon de deux cent cinquante sillons. « Prudence tout de même », songea-t-il.

Équipées du système de camouflage, certaines unités pirates transformèrent l'anatomie de leurs vaisseaux. Les autres se dispersèrent et prirent un cap qui leur ferait faire un immense détour. Elles rejoindraient finalement Notus 2, mais en coupant son orbite beaucoup plus loin dans l'espace. Le *Grand Centaure*, lui, revêtirait le manteau de l'invisibilité et se placerait en arrière-garde afin d'escorter les unités camouflées. Celles-ci, transformées en inoffensifs bâtiments de commerce ou de plaisance, passeraient les contrôles au grand jour.

Quels étaient les plans du commandor Sériac ? Les espions de Marsor n'avaient rien pu découvrir. Peu importait à présent. Les dés étaient jetés…

23

Le sabotage

Le *Grand Centaure* se préparait à passer en mode d'invisibilité. L'Amiral prit Storine par les épaules et lui expliqua :

— Un générateur puise dans l'espace une énorme quantité d'hydrogène, puis la transforme en énergie. Cette énergie va être dispersée dans tout le vaisseau. Ça va le rendre invisible. Par conséquent, tout ce que tu vois autour de toi va aussi devenir invisible. Au début, ce sera effrayant, car les meubles, les murs, tout s'illuminera ! À tel point que tu ne verras plus rien.

Il lui remit un casque équipé d'une visière spéciale.

— Avec ça, tu pourras distinguer le contour des objets. Mais je te recommande de rester dans l'appartement.

Comme l'Amiral semblait contrarié, Storine promit et n'osa pas lui poser de questions. Il l'embrassa sur le front.

— Quand nous serons sur Paradius, je te ferai visiter les plus jolis coins. On s'y dégourdira les jambes. Et puis, nous en profiterons pour te faire pratiquer une dernière fois les bottes secrètes que je t'ai enseignées. Ensuite, tu subiras l'« assaut des maîtres ». Tu te battras contre cinq de mes meilleurs Centauriens. J'ai confiance…

— Oh oui ! s'exclama Storine qui s'était jetée dans l'apprentissage du maniement du sabrolaser avec une passion qui enchantait son père.

Quand le vaisseau entra en mode d'invisibilité, la fillette ne put s'empêcher de pousser un cri de stupeur. Une lumière épaisse et chaude, couleur de bronze, se répandit par vagues successives autour d'elle. Comme le lui avait expliqué son père adoptif, la lumière enveloppa tout. Storine vit tour à tour disparaître le plancher, les murs, sa table de chevet, les grandes étagères de livres, son lit, Griffo, et même son propre corps !

Elle hurla de terreur. Puis elle se rappela le casque. Où diable l'avait-elle oublié ? Elle essaya de se souvenir. Même si elle ne le voyait

plus, Griffo était à ses côtés. Paniqué, lui aussi, il tentait de se réfugier entre ses jambes. L'ennui, c'est qu'il était bien trop gros pour ça ! Déséquilibrée par le poids du jeune fauve, Storine tomba. À tâtons, elle reconnut, en les touchant, les différents meubles de sa chambre. Rien n'avait changé, sinon cette lumière de bronze, omniprésente, étouffante. Pour se donner du courage, elle se mit à rire. Elle était comme prisonnière d'un immense pot de miel.

« Le casque ! »

Elle le retrouva là où elle l'avait posé : sur son lit. Quand elle le mit sur sa tête, la lumière dorée disparut et fut aussitôt remplacée par un fond bleu, tantôt sombre, tantôt pâle, avec, en surimpression, les contours brillants des meubles, des murs et des corridors. Un puissant mugissement grave allait et venait dans ses oreilles, comme le souffle d'une bête invisible. Storine se demanda si c'était ainsi que la vieille Ysinie, sans ses yeux, voyait le monde.

Elle regarda par la fenêtre pyramidale. L'espace était toujours là. Bleu, lui aussi. Il y avait des vaisseaux tout autour de la station militaire. Des appareils civils, mais aussi des bâtiments de la flotte camouflés en croiseurs de plaisance.

Griffo, soudain, fut pris de panique et quitta la chambre.

— Griffo ! appela Storine, reviens ! Tu vas te perdre !

Elle entendit la porte principale de l'appartement se refermer derrière le jeune lion. En sortant à son tour, Storine s'étonna de l'absence d'Urba. N'avait-il pas dit qu'il resterait dans le grand salon pour corriger la biographie de l'Amiral, qu'il écrivait en attendant que le vaisseau reprenne son mode de navigation normal ?

— Griffo ! appela encore Storine en courant derrière lui.

Dans le vaisseau, certaines portes avaient été condamnées. Griffo pénétra dans un turbo-lift. « Il est fou ! » s'exclama Storine. Le turbo-lift descendit dans les niveaux inférieurs du *Grand Centaure*. Depuis son adoption, bien qu'elle pensait souvent à son amie Eldride, elle n'était plus jamais retournée dans les quartiers réservés aux esclaves. « Il est fou », se répéta-t-elle. Pourtant, elle rappela le turbo-lift et, bien décidée à récupérer Griffo

avant qu'il ne fasse des bêtises, elle s'engagea, elle aussi, dans les niveaux inférieurs.

Était-ce la façon dont elle voyait le vaisseau dans le casque, ou bien s'était-elle égarée ? « Non, je me souviens de cet endroit », se dit-elle en se revoyant en train de fuir le *Grand Centaure* avec Eldride. En suspension dans l'énergie bleue qui l'entourait, elle voyait des particules rouge et or. Quand elle tendait la main, elles s'éparpillaient. « Et si ces machins-là étaient vivants ? pensa-t-elle. Et si c'étaient des espèces de sangsues minuscules ! » Elle eut envie de vomir.

— Griffo ! appela-t-elle.

Puis, se rappelant qu'entre elle et le jeune lion il existait un lien télépathique très fort, elle cessa de s'agiter et se mit à respirer profondément. Il fallait qu'elle se calme.

« Griffo, appela-t-elle dans son esprit. Grifffffo ! » Enfin, l'image de son ami apparut dans sa tête. Ses pattes avant grattaient le vantail d'une lourde porte qu'il tentait d'ouvrir. Pourquoi ?

À l'extérieur, tout se passait comme prévu. La plupart des appareils camouflés avaient déjà passé les barrages. Marsor songea à quel point il était facile de tromper les contrôleurs

impériaux. À son tour, le *Grand Centaure* traversa la frontière. Comme chaque fois, l'Amiral retint son souffle. Tout le personnel était équipé du même casque à visière qu'il avait remis à Storine. Encore une ou deux minutes et le vaisseau serait hors de portée de la station. À moins d'un quart de sillon devant eux miroitaient les immenses branches des modules privés chargés de la construction de l'autoroute spatiale.

— Amiral !

C'était le responsable de la navigation invisible. Le ton de sa voix, d'ordinaire calme, était tendu.

— Le niveau d'énergie fluctue, Amiral.

Marsor marcha jusqu'à sa console.

— Par les cornes du *Grand Centaure* ! s'exclama-t-il. Krôm ! prends le commandement et attends-toi au pire. Je descends.

Le premier lieutenant se plaça devant le poste de défense, prêt à toute éventualité. Avant de quitter la passerelle, Marsor vérifia l'attache de son sabrolaser. Le turbo-lift siffla, les portes s'ouvrirent. Subitement, l'énergie dorée qui leur garantissait l'invisibilité manqua. Sous le coup de la surprise, les hommes enlevèrent leurs casques devenus inutiles. Seul dans le turbo-lift, Marsor serra les dents.

Il y avait bien un traître à bord ! Ce traître venait de saboter le système de navigation invisible. Ce traître devait mourir.

En poste dans la salle de contrôle du module de construction numéro Un, Sériac vit apparaître le *Grand Centaure*. Il était là, à découvert, enfin !

— Attaque générale ! ordonna-t-il dans un micro.

Aussitôt, une compagnie de chasseurs impériaux surgit des flancs des six modules de construction. Marsor ne tarderait pas à comprendre que ces modules étaient des leurres. Qu'en vérité, il n'y avait jamais eu d'autoroute spatiale en construction. Ces modules n'avaient servi que de hangars à l'intérieur desquels Sériac avait pu cacher ses chasseurs. À ses côtés, Spiros Cinq sautait sur place comme un enfant, à la grande joie de Corvéus qui s'était pris d'amitié pour l'androïde.

— Ne vous l'avais-je pas dit ?

Sans lui accorder un regard, Sériac, les traits tirés par le manque de sommeil, continuait à distribuer ses ordres :

— Attaquez en priorité les sas d'éjection situés sous le ventre du *Grand Centaure*. Il ne faut pas que Marsor lâche ses chasseurs contre nous.

De son poste d'observation, il vit une myriade de petites explosions irradier le corps massif du vaisseau pirate. Il se tourna vers l'androïde.

— Tu es sûr qu'il ne pourra pas utiliser sa force de frappe ?

— Mes espions ont reçu l'ordre de neutraliser le générateur principal, répondit Spiros Cinq en tentant de se soustraire à Corvéus qui, voulant jouer, le ceinturait de ses énormes bras.

Sériac réfléchissait à toute allure : « Il est fait comme un rat. Cette fois, c'est la fin. S'il ne peut pas utiliser son rayon de la mort, ses batteries antiaériennes ne viendront pas à bout de mes chasseurs. »

Il pensa à Storine. Elle était probablement retenue prisonnière dans les quartiers personnels de Marsor. À moins que le pirate ne l'ait fait enfermer dans une cellule particulière. Il faudrait immobiliser le *Grand Centaure* puis l'aborder. Corvéus et lui iraient chercher l'enfant. Il s'approcha de l'émetteur.

— Commandant, à mon signal vous vous dévoilerez. Mais, attention, surtout ne l'achevez pas. Il nous faut prendre Marsor vivant !

— Cher associé, se permit Spiros Cinq, voudriez-vous dire à votre colosse que je ne suis pas un jouet mais une entité libre et intelligente ?

Sériac sentait la sueur lui couler dans les yeux. Trois des six modules factices étaient en réalité des croiseurs impériaux camouflés. Il n'était pas mécontent de montrer à Marsor que l'armée impériale était, elle aussi, capable d'employer la ruse. Thesalla avait déjà tout prévu. Marsor, enchaîné, serait exhibé sous bonne garde devant les centaines de journalistes qui trépignaient d'impatience sur Quouandéra. Le *Grand Centaure* serait vidé de son équipage et confié aux soins d'une cellule spéciale de l'armée. Ensuite, séparé de son état-major, le pirate serait transféré sur Ésotéria, où son procès pourrait enfin commencer. Le commandor était certain que ce procès allait fasciner l'opinion publique de l'empire et des États confédérés pendant de nombreux mois. Sériac en tressaillait de joie. Pourtant, rien n'était encore joué. Surveillant l'évolution de l'attaque, il continua à donner ses instructions.

Storine rejoignit Griffo qui geignait devant une lourde porte d'acier. Elle s'accroupit et colla son visage contre le poitrail du jeune fauve.

— Qu'est-ce qu'il y a derrière cette porte, Griffo ?

Bien sûr, la commande d'ouverture était verrouillée depuis la passerelle. La fillette sortit de sa poche une petite carte magnétique que lui avait remis son père. Comme l'énergie bleue s'était dissoute autour d'elle, elle enleva son casque et le posa par terre. Le sourd mugissement cessa immédiatement. Elle fut soulagée de constater que les bestioles lumineuses avaient disparu. Ses épais cheveux orange, mouillés de sueur, collaient à ses joues et à son front. Elle glissa sa carte dans le lecteur optique ; le mécanisme se débloqua dans un bruit de forge. Aussitôt, une odeur de sueur assaillit ses narines.

C'était une vaste salle obscure, haute de plafond, dans laquelle avaient été placés des dizaines de cercueils vitrés, alignés debout, les uns à la suite des autres, le tout constituant de véritables rues coupées à angle droit.

Storine s'approcha prudemment du cercueil le plus proche.

Une nappe de gaz rosée enveloppait un corps. La fillette laissa échapper un cri de dégoût. Elle frappa contre la vitre, appela. Aucune réponse. Ces gens étaient-ils morts ? Elle s'approcha de l'alcôve voisine, colla sa joue contre la vitre et reconnut une esclave entre deux âges : une de celles qui vivaient dans le coral des femmes. Storine pensa aussitôt à la vieille Ysinie. Se pouvait-il qu'elle ait été enfermée de force dans un de ces étranges cercueils de verre ?

— Griffo !

Un grondement guttural lui répondit. Griffo avait trouvé quelque chose et ça n'avait pas l'air de lui plaire. Storine le découvrit assis, immobile, face à un cercueil semblable aux autres. Sa queue était rigide, signe qu'il n'était vraiment pas content. La fillette approcha son visage de la vitre embuée.

— Eldride ! s'exclama-t-elle.

Debout au milieu des volutes de gaz, l'adolescente semblait dormir paisiblement. Pourtant, son visage reflétait l'effroi. Juste avant qu'on ne l'enferme, elle avait eu peur. Mais de quoi ?

Marsor ouvrit plusieurs sas avec une clé spéciale et déboucha dans un couloir secret attenant à la principale chambre des machines. Le vaisseau était maintenant à découvert. Déjà, les blindages grondaient sous les chocs successifs des tirs de laser concentrés. Le *Grand Centaure* et lui étaient si intimement liés qu'il ressentait comme une blessure personnelle chaque avarie que subissait le vaisseau. Cette douleur renforça sa détermination. Il devait atteindre la chambre rouge et évaluer les dégâts au plus vite. Jusqu'ici, les sas étaient convenablement verrouillés. Comme on ne pouvait débrancher le système d'invisibilité que de la chambre rouge, cela signifiait que le traître possédait un double de sa clé. Cela voulait dire aussi que cet homme ou cette femme était parmi ses intimes. Il songea à ses trois maîtresses qu'il avait délaissées depuis que Storine était entrée dans sa vie. Les superstuctures du vaisseau grincèrent violemment. Bouillonnant de rage, Marsor atteignit le dernier sas. C'était trop bête de se faire prendre maintenant.

Storine cherchait un moyen d'ouvrir la boîte dans laquelle Eldride était enfermée. Il y avait bien une fente, à gauche de la vitre, mais sa carte ne fonctionnait pas. À bout de ressources, elle s'adossa au cercueil et sentit des larmes lui brûler les yeux. Griffo la fixait de son regard rouge sombre. « Griffon aurait pu briser cette vitre sans effort, songea Storine. Mais Griffo est encore si jeune ! »

Une rage froide l'envahit. Quand elle reverrait son père, elle lui demanderait pourquoi il enfermait les esclaves dans des cercueils de verre. Le vaisseau gronda comme un fauve aux abois. Qu'est-ce que cela voulait dire ? Elle regarda Eldride. Il fallait absolument trouver un moyen de la libérer. « Qu'y a-t-il à côté de la fente ? Un petit clavier numérique de couleur. J'ai déjà vu ces symboles lorsqu'on a essayé de s'échapper… »

Elle essaya plusieurs combinaisons. Une alarme aiguë lui répondit. « Le temps… Si quelqu'un entre ? Un pirate. Ou Astrigua. Je me battrai ! » décida-t-elle en serrant les dents. « Vite ! Plus vite ! » Elle entrait une dernière combinaison quand, soudain, un son grave carillonna… et d'un seul coup, toutes les vitres de toutes les boîtes s'ouvrirent en même temps ! Un flot de gaz se répandit aussitôt

dans la grande salle. Privés de support, les esclaves s'écroulèrent comme des marionnettes à l'extérieur des cercueils. Eldride tomba dans les bras de Storine.

La fillette la réveilla à coups de giffle. La bouche entrouverte, Eldride se mit à gémir. Storine fut frappée par les incisives pointues, presque félines de son amie. Déjà, autour d'elles, des hommes et des femmes bâillaient, s'étiraient. Certains commençaient à se lever, les jambes flageolantes ; d'autres toussaient à s'en arracher les poumons. Eldride ouvrit enfin les yeux.

— Toi ? s'exclama-t-elle.

Des larmes coulaient sur ses joues roses, les teintant de vilaines taches grises et brunes. Elle les essuya d'un vif mouvement de coude.

— Le gaz, bredouilla-t-elle.

Une minute plus tard, un brouhaha régnait dans la salle. Les esclaves avaient compris que le vaisseau était attaqué. Certains proposèrent de fuir. D'autres, craignant Astrigua et ses soldats, refusèrent de bouger. Eldride serra le bras de son amie.

— Tu savais que j'étais là ?

— Non, c'est Griffo qui t'a trouvée. Il s'est échappé, je l'ai suivi jusqu'ici.

— Alors, tu ne savais pas !

— Quoi ?

— Que l'Amiral enfermait les esclaves dangereux dans ces cercueils de sécurité ! Les autres sont cantonnés dans leurs quartiers, mais je connais bien les consignes, tu sais !

— Quelles consignes ? demanda Storine, effrayée par le rictus sauvage de la jeune fille.

— L'Amiral ne laissera jamais le *Grand Centaure* tomber aux mains des Impériaux. Il préférera le faire sauter, et nous avec !

— Non ! geignit Storine. C'est impossible !

Une sonnerie d'alarme retentit.

— C'est toi qui as ouvert les cercueils ?

— Je... oui, je crois.

— Alors, il faut partir tout de suite. Astrigua va rappliquer. Suis-moi !

Dans la confusion la plus totale, elles se frayèrent un chemin jusqu'à la sortie. Les esclaves étaient si effrayés qu'ils ne prêtèrent aucune attention au jeune lion. Les deux filles empruntèrent un dédale de coursives jusqu'au premier turbo-lift. Plus courageux que les autres, quelques esclaves franchirent timidement les battants de la grande porte d'acier. Bientôt, ils se répandraient dans tout le vaisseau. Storine se demanda où étaient les pirates. Un autre choc, plus violent que les autres, les projeta contre un mur. Le plancher prit de la gîte.

— Ça va mal ! s'écria Eldride en s'accrochant aux rambardes de garniture du turbo-lift. Prends ma main !

Elle agrippa Storine d'une poigne solide. Leurs deux visages l'un contre l'autre, Eldride murmura :

— Je suis vachement contente de te revoir, tu sais !

Peu à peu, la rumeur des esclaves en fuite s'estompa. Dans les niveaux supérieurs, un silence de mort régnait, troublé seulement par des secousses violentes et les craquements sinistres du vaisseau.

Alors qu'elles n'avaient encore croisé personne, Urba surgit d'un turbo-lift latéral. Instinctivement, Storine regarda l'indicateur lumineux placé sur le linteau du lift. Impossible de savoir d'où revenait Urba. Il s'était peut-être caché quelque part ou bien il descendait de la passerelle. D'abord, il grimaça. Puis, sans raison, il se mit à sourire en la prenant par le poignet.

— Ah ! Storine, justement, je te cherchais. Suis-moi. Le vaisseau est attaqué de toutes parts. Les chasseurs impériaux ont détruit les tourelles antiaériennes. Nos propres chas-

seurs sont coincés dans les soutes. Nous sommes sans défense.

Il semblait épuisé. Son souffle rauque faisait penser à un sas qui s'ouvre. Le col de son uniforme pourpre dégoulinait de sueur.

— Nous allons être abordés.

— Chouette ! s'exclama Eldride.

— Petite sotte ! grogna Urba. Tu crois peut-être que les soldats impériaux vont te délivrer ?

— C'est sûr que je le crois ! répliqua Eldride.

— Faux ! Dans leur précipitation à tuer les guerriers, ils ne feront pas de quartier.

— Vous mentez !

— Libre à toi de le croire, esclave. L'Amiral m'a donné des consignes précises concernant ta sécurité, Storine. Il m'a ordonné de te conduire à une nacelle d'éjection.

— Mais..., protesta la fillette.

— Tu veux désobéir à ton père ? Très bien. Mais il va être très déçu de toi.

— On s'en fout ! décida Eldride. Sto, viens avec moi !

Elle prit son amie par la main et tenta de l'entraîner dans la coursive. La fillette se libéra.

— Attends ! C'est vraiment ce que veut mon père ?

— Puisque je te le dis, affirma Urba.

Storine n'hésita qu'un bref instant. L'idée de décevoir l'Amiral était au-dessus de ses forces. De rage, Eldride commença par se mordre les lèvres, puis elle suivit son amie. Urba la repoussa.

— L'Amiral a dit Storine.

— C'est nous deux ou c'est rien du tout, l'apostropha Eldride en s'accrochant à son amie.

Urba leur adressa un regard mauvais.

— Très bien. Suivez-moi.

Suspendu aux gestes de sa petite maîtresse, Griffo leur emboîta le pas.

Marsor dévissa la paroi amovible donnant accès au cœur de son générateur. Ses doigts coururent sur les touches numériques. L'écran central afficha un diagramme sur lequel plusieurs points rouges se mirent à converger. L'Amiral sentit son torse se couvrir d'une sueur glacée. Il ouvrit son communicateur portatif et appela la passerelle.

— Rapport !

Krôm répondit d'une voix tendue.

— Avaries à la proue, le blindage bâbord a été percé sur une trentaine de mètres, de nombreux foyers d'incendie affaiblissent la coque. Le système de survie, défaillant dans les niveaux inférieurs, est en train d'être réparé. Malheureusement, le toit de la salle des Braves a volé en éclats. Tous nos guerriers sont en poste pour repousser un abordage. Les chasseurs ennemis se sont repliés, mais trois croiseurs impériaux sont en manœuvre d'approche. Nous sommes immobilisés.

— Pas pour très longtemps, Krôm, répondit l'Amiral. Aie confiance, mon ami. Le traître qui a saboté le système d'invisibilité ne semble pas vouloir nous voir tomber aux mains des Impériaux.

Et en pensée, il ajouta: «Je me demande bien pourquoi...»

Soudain, son pied heurta une petite fiole en verre. Un liquide jaunâtre en colorait le fond. Perplexe, l'Amiral se pencha, prit le tube, dévissa le bouchon et le porta à son nez. Cette fiole lui était familière. Où donc l'avait-il déjà vue? Maintenant que le système était provisoirement réparé, il lui tardait de regagner la passerelle. Le niveau d'énergie ne lui permettrait pas de naviguer en invisibilité, mais le générateur d'appoint et les réacteurs de secours étaient de nouveau opérationnels.

— Krôm, appella-t-il dans son communicateur, prépare-toi à ouvrir le feu. Nous allons nous dégager.

24
Trahison

Astrigua rayonnait de joie. Son plan fonctionnait à merveille. « Surtout, pensa-t-elle, ne pas rejoindre Urba. Il sait ce qu'il a à faire. » Elle sourit à la pensée d'avoir pu corrompre le plus fidèle serviteur de l'Amiral. Ce pauvre Urba était si jaloux de l'estime et de l'amitié de son maître qu'il avait accepté de saboter le *Grand Centaure* juste pour qu'on le débarrasse de Storine. Le plus drôle c'est qu'elle, Astrigua, avait reçu des sommes énormes de la part des trois maîtresses de l'Amiral, jalouses elles aussi ! Le stupide androïde de Torgar, Spiros Cinq, croyait pouvoir l'utiliser comme espionne. « Tu veux t'enfuir, toi aussi ! Te construire une vie meilleure, riche, libre et loin de Marsor, lui avait-il dit. Alors aide-moi à l'abattre. » En vérité, Astrigua n'avait pas

la moindre envie de quitter la flotte pirate. Elle s'était servie de tout le monde. Elle la tenait enfin, sa vengeance ! Mais, dans l'immédiat, il fallait poursuivre le plan. La révolte des esclaves serait châtiée sans pitié. Elle devait absolument prouver à l'Amiral que rien n'avait échappé à son contrôle. Elle ricana lorsque ses hommes rattrapèrent les premiers fuyards.

Urba, Storine, Griffo et Eldride débouchèrent en trombe dans la baie de lancement numéro huit. Le majordome transpirait beaucoup. « Mets la gamine dans la nacelle marquée du symbole des Tigroïdes, lui avait dit Astrigua. Tout est prévu. » Seulement, ils avaient compté sans le lion et sans Eldride. « Et si le plan d'Astrigua ne fonctionnait pas ? » se demanda soudain le traître. Il eut peur. Ça n'était pas plus mal, car il fallait à tout prix que les filles, en le voyant, croient le vaisseau en perdition. Aussi pria-t-il pour que l'Amiral ne puisse pas le réparer trop vite.

Eldride découvrait enfin cet endroit d'où l'on pouvait s'échapper du *Grand Centaure*.

Les nacelles d'éjection étaient alignées les unes à la suite des autres. Rondes, vitrées sur la moitié de leur blindage noir et jaune, munies de courts ailerons, chacune était équipée de trois énormes réacteurs. Il n'y avait que peu d'espace à bord. Cependant, chaque nacelle possédait une soute principale remplie de multiples coffres de provisions et de matériel de survie.

Urba, qui avait repéré la nacelle désignée par Astrigua, fit mine d'en choisir une au hasard.

— Attendez ! s'exclama Eldride. Si c'est vraiment l'Amiral qui demande que Storine soit envoyée en lieu sûr, pourquoi ne pas lui dire au revoir ?

Les traits du majordome se figèrent. Il était armé, bien sûr, mais il préférait utiliser la ruse. Il feignit la colère :

— Mettrais-tu ma parole en doute, esclave ? Oublierais-tu qui je suis ?

— Je me fous de qui tu es, répliqua vivement l'adolescente. Ma copine veut parler à son père.

— Oui, déclara Storine, je veux lui parler.

Urba sentait la situation lui échapper. Sa trahison, déjà, pesait assez sur sa conscience. Il fallait trouver une solution. Heureusement pour lui, le vaisseau se mit à tressaillir, les envoyant tous rouler au sol. Urba suivit l'inspiration du moment.

— Les Impériaux ! Nous sommes abordés ! Si l'armée te prend, jamais plus tu ne reverras ton père. Par contre, si tu embarques, vous vous retrouverez comme prévu à Paradius.

— Mais… et lui ? gémit Storine.

— L'Amiral est capable de se défendre, rassure-toi. Seulement, il pense à ta sécurité. Et puis, ajouta-t-il en songeant combien cette gamine le mettait mal à l'aise, une fois hors de danger, tu pourras lui parler en utilisant la radio de bord. Et…

— Un détail ! le coupa Eldride. On ne sait pas piloter cet engin.

— Moi, je sais ! s'écria Storine.

— C'est bien, approuva Urba. Mais, en fait, une fois la zone de danger passée, la nacelle mettra automatiquement le cap sur le satellite Tyrsa, où se trouve la base de Paradius.

C'était maintenant ou jamais. Si elles refusaient d'embarquer, il serait contraint d'employer la force. Ce fut Eldride qui trancha :

— D'accord. Mais tu fais mieux de ne pas nous raconter de bobards. Embarquons ! décida-t-elle.

Une fois le lion et les filles à bord, Urba se félicita d'avoir permis à Eldride de les accompagner. Dans sa hâte à quitter le navire, cette esclave sans cervelle avait simplifié les choses en les faisant tomber toutes deux dans le piège. La nacelle se referma, puis se positionna d'elle-même sur les rails de lancement. Devant le panneau de contrôle, Urba poussa un long soupir. Il avait gagné. La nacelle fut catapultée dans le tunnel d'éjection.

« Qu'elles aillent au diable ! » pensa-t-il.

Restait maintenant le plus difficile à accomplir : persuader l'Amiral que sa fille adoptive s'était fait enlever par un espion à la solde des Impériaux…

Autour du *Grand Centaure*, l'espace était jonché de débris métalliques et d'appareils en flammes. La nacelle d'éjection, minuscule dans ce cimetière incandescent, prit la direction des États de Phobia, au nez et à la barbe des trois croiseurs impériaux qui s'approchaient pour arraisonner le navire pirate. Les yeux fixés sur le *Grand Centaure*, Storine murmura, la gorge serrée :

— Qu'il est beau…

— Ça, c'est ton opinion. Moi, je suis vachement heureuse d'en être sortie vivante !

— Pourvu qu'il puisse s'échapper, lui aussi, et qu'on se retrouve tous à Paradius.

Urba n'avait pas menti. La nacelle semblait suivre une trajectoire précise. Sous l'œil attentif et un peu affolé d'Eldride, Storine alluma les écrans de contrôle, appuyant sur tel ou tel symbole, réglant tel ou tel paramètre.

— Bigre ! C'est vrai que tu sais piloter !

— J'ai appris sur des chasseurs-frelons, mais les systèmes de pilotage se ressemblent.

— Que cherches-tu à faire ?

— Je m'assure qu'on ne nous a pas repérées.

— Et ?

— Rien.

— On est libres, alors !

Elle se renversa sur son siège et éclata de rire. Inconfortablement ramassé sur le siège voisin, Griffo se tournait et se retournait.

— Nerveux, le lion ? plaisanta Eldride. Qu'est-ce que tu fais maintenant ?

Storine cherchait patiemment un canal radio. Concentrée, elle ne répondit pas tout de suite.

— Par les cornes du *Grand Centaure* !

— Quoi ? demanda Eldride en se redressant.

— Urba nous a trahies. La radio de bord ne fonctionne pas.

Eldride en eut le souffle coupé. Griffo, qui reniflait à droite et à gauche depuis qu'elles avaient embarqué, glissa et tomba sur l'adolescente de tout son poids. La jeune fille poussa un cri de douleur. Griffo se mit à gronder méchamment.

— Hé ! qu'est-ce qui lui prend ! demanda Eldride, effrayée. J'espère qu'il a déjà bouffé, ton lion !

Mais ce n'était pas Eldride qui inquiétait Griffo. Perplexes, les deux filles se regardèrent. Avant que Storine ait pu ouvrir la bouche, le panneau de la soute principale, situé derrière les sièges, se mit à bouger. Storine se retourna et eut la désagréable surprise de se trouver nez à nez avec un pistolaser. Une voix d'homme grinçante s'éleva dans la nacelle :

— Esclave, retiens ton fauve ou je lui troue la peau !

Eldride fut saisie d'effroi. Elle reconnaissait cette voix rauque et cruelle. C'était celle de Pharos, son ancien maître…

25

La retraite

— Ouvrez le feu ! ordonna Marsor.

Une langue de feu jaillit des quatre cornes du *Grand Centaure*. Le croiseur le plus proche fut transpercé de part en part et explosa dans une immense gerbe d'acier tordu. Le « rayon de la mort » fut aussitôt dirigé sur les faux modules de construction. Abasourdi par ce revirement de situation, Sériac chercha l'androïde du regard. Bien malgré lui, celui-ci servait de jouet à Corvéus qui s'amusait à lui tirer les bras.

— Malédiction ! s'exclama le commandor, aveuglé par la terrible déflagration qui fit voler en éclats le module voisin du sien.

Il se retourna et constata que la vaste salle de commande était vide. Où étaient passés

les techniciens ? Plongé dans l'extase de sa victoire imminente, il ne s'était rendu compte de rien. Dans la demi-obscurité et les reflets glauques des écrans, il se leva et rejoignit ses complices.

— Corvéus ! ordonna-t-il.

— Commandor, se plaignit Spiros Cinq, maintenu au sol par le colosse qui riait stupidement, je ne suis pas une machine programmée, vous le savez ! J'ai des buts dans la vie, je suis vivant !

Blême de rage, Sériac exécuta à l'intention de Corvéus une série de mouvements dans l'air avec ses mains. Le colosse s'arrêta de rire et le dévisagea tristement. Sériac s'agenouilla auprès de l'androïde.

— Tu m'as trahi, misérable boîte en fer-blanc, et tu vas disparaître.

— Je… je ne comprends pas, vous…

— Maintenant ! ordonna Sériac.

Corvéus prit doucement la tête de Spiros Cinq entre ses puissantes mains et, les larmes aux yeux, lui écrasa les tempes. Une série de petites explosions ainsi qu'un froissement métallique couvrirent ses grognements de tristesse. Le colosse n'avait jamais pu s'exprimer d'une façon intelligible, mais il mima son mécontentement d'avoir été privé de son

ami. Habitué au langage muet de son complice, le commandor serra les dents.

— Une machine ne peut pas être ton amie. Je suis ton seul ami.

Dépité, le géant fit alors mine de bercer un enfant imaginaire. Son visage, tendu un instant auparavant, s'était soudainement adouci.

— Il est bien temps de songer à Storine quand tout s'écroule autour de nous !

Le *Grand Centaure* apparut, énorme, sur son écran de contrôle. « Il va ouvrir le feu... » Cette pensée s'inscrivit au fer rouge dans l'esprit du commandor. Alors, seulement, il s'aperçut que son uniforme était trempé de sueur. Corvéus le tira par une manche, déchirant ainsi le tissu brodé de fils d'or.

— Trahison ! s'exclama Sériac.

Impuissant, il se laissa emporter vers une baie de lancement où les nacelles de sauvetage étaient sa dernière chance.

Quand le dernier module se transforma en gerbe de flammes dévorantes, Marsor commença à se sentir mieux. Sur la passerelle, le

soulagement se lisait sur tous les visages. Une fois encore, l'Amiral, par son sang-froid et sa ténacité, les avait tous sauvés. Une salve d'applaudissements retentit. L'Amiral la calma d'un geste.

— Krôm ! Je veux un rapport complet sur les avaries du vaisseau. La sécurité a-t-elle été maintenue ? Contacte Astrigua. Un croiseur impérial a pris la fuite. Assure-toi que nous ne sommes plus menacés.

— La station militaire ne possède pas la force nécessaire pour nous inquiéter, Amiral, répondit le premier lieutenant.

— Bien. Envoie des messages aux autres unités par les relais secrets. Il faut absolument que nous rejoignions le gros de la flotte.

— Les unités des Taureaux, des Orsaunos et des Féliandres ont fait un long détour. Celles des Tigroïdes et des Tricornes se sont camouflées et doivent maintenant approcher des planétoïdes de Néphra. Quant au reste de notre propre unité, il a suivi le premier groupe.

Marsor secoua la tête. Il n'aimait pas être séparé de sa flotte. Soudain le turbo-lift de la passerelle s'ouvrit.

— Urba ? s'étonna l'Amiral.

Tous éclatèrent de rire en voyant le majordome, d'ordinaire tiré à quatre épingles, si défait, si livide.

— Eh bien, mon ami, on dirait que les croiseurs impériaux te sont passés sur le corps ! plaisanta Marsor.

Mais son visage s'assombrit. Urba n'était pas autorisé à entrer sur la passerelle.

— Qu'y a-t-il ?

Rendue plus grave par l'inquiétude, sa voix brisa l'atmosphère d'euphorie. Urba se tortillait, tête baissée, ses traits huileux presque gris.

— Eh bien ? tonna Marsor.

— La petite, maître…

— Storine ?

— Disparue, maître. Avec Griffo…

— Comment ?

Marsor tomba sur le majordome de tout son poids.

— Que me dis-tu là ?

— Pharos, maître…

— Pharos ! Ce misérable ver de terre !

— La confusion de l'attaque, maître. Ils ont pris une nacelle d'éjection. Je n'ai rien pu faire. Il y avait l'évasion d'une trentaine d'esclaves dangereux…

— Les esclaves se sont enfuis !

Urba ne répondit pas. Un malaise profond qui n'était pas feint métamorphosait son visage et son corps. C'était la première fois de sa vie qu'il mentait à l'Amiral, et l'épreuve s'avérait plus difficile que prévue. Sous le coup de l'émotion, ses yeux se mirent à couler. Ce n'étaient pas des larmes. Seulement une humeur visqueuse, caractéristique de sa race, les Édoliens. Urba, dont l'organisme avait du mal à s'adapter aux voyages interplanétaires, savait que cette humeur, dans l'espace, se transformait en fluide mortel. Il fouilla nerveusement dans sa poche droite.

L'expression de Marsor se durcit aussitôt. Préoccupé par sa petite fiole d'antidote qu'il ne trouvait pas, le majordome ne remarqua rien. Il retourna toutes ses poches, sans succès. Soudain, la poigne de fer de l'Amiral se referma sur sa gorge. Estomaqué, Urba ouvrit la bouche. L'humeur nauséeuse qui coulait de ses yeux pénétra lentement entre ses lèvres. Comme c'était un poison mortel, il commença à s'étouffer.

— Traître, traître ! éructa Marsor d'une voix blanche.

De son autre main, il lui montra le petit flacon d'antidote qu'il avait découvert dans la chambre du générateur.

— C'est ça que tu cherches, misérable !

Il lança violemment Urba contre une paroi métallique. Le corps du majordome y rebondit, la face la première, puis vint s'écraser au sol dans un bruit d'os brisés. Marsor l'empoigna par le col et approcha le visage tuméfié d'Urba à deux doigts du sien. Un sang noir gargouillait aux lèvres du majordome.

— Pourquoi ? Pourquoi ?

— Maître..., bredouilla Urba, avalant toujours le poison qui lui coulait des yeux. Dans un spasme désespéré, il tenta d'attraper la fiole minuscule que l'Amiral tenait toujours dans sa main. Marsor la laissa tomber et l'écrasa sous son talon.

— Tu as brisé ton pacte de fidélité, Urba. Tu ne mérites plus de vivre.

Urba vomit et rendit l'âme peu après, dans un horrible spasme. Sa peau devint terreuse, puis elle se craquela. Une affreuse puanteur emplit la timonerie. Marsor le fouilla et retrouva le double de la clé électronique qui lui avait permis de s'introduire dans la chambre rouge et de saboter le système de navigation invisible.

— Jetez-le par-dessus bord avant qu'il ne devienne contagieux, ordonna l'Amiral.

Ses yeux brillaient dangereusement.

— Krôm ! sonde le périmètre spatial et retrouve-moi au plus vite cette nacelle d'éjection. Quand tu l'auras localisée, mets le cap dessus.

Il pensa : « Tiens bon, Sto, je vole à ton secours. Nous irons tous les deux à Paradius. Tu feras courir Griffo dans les champs, je terminerai ta formation de guerrière et je pourrai enfin te raconter ce que je sais sur tes origines. Tu comprendras pourquoi le commandor Sériac voulait t'enlever. »

— Amiral !

Le premier lieutenant lui montra l'écran radar. Venue de Quouandéra, une flotille entière d'appareils impériaux fonçait vers eux.

— Ils seront sur nous dans moins d'une demi-heure, Amiral… et ils naviguent entre nous et la petite Storine.

— Par les cornes du *Grand Centaure* ! s'exclama Marsor. Et le système de navigation invisible qui n'est pas encore réparé !

— Ce n'est pas tout, Amiral. Notre flotte est dispersée. Nous sommes seuls.

Marsor sentit un froid se glisser dans sa poitrine. « Storine… » Si Urba n'était pas déjà mort, il aurait aimé le tuer de ses propres mains.

— Amiral ! reprit Krôm. À un contre cent, nous n'avons aucune chance !

En ordonnant la retraite, ils ne s'éloignaient pas seulement de Storine, ils s'éloignaient aussi de la flotte laissée sans chef et sans direction. « Si l'empire déclare la guerre aux États de Phobia, pensa Marsor, comment vais-je faire pour regrouper ma flotte ? »

Mais il n'avait pas le choix.

— Retraite, ordonna-t-il.

Storine ne put retenir Griffo. Un éclair jaune frappa le fauve à l'instant précis où celui-ci allait balafrer le visage de Pharos d'un coup de griffe. Dans l'espace réduit de la nacelle d'éjection, la masse du lion blanc retomba moitié sur Storine, moitié sur Eldride. Pharos en profita pour s'extraire de la soute et s'emparer des commandes.

— Griffo ! s'écria Storine, folle de douleur.

Elle passa ses bras autour du cou du jeune lion et colla sa joue contre sa gueule béante. Ses yeux s'agrandirent d'horreur. Avant

qu'elle ne se mette à hurler, le pirate l'assomma d'un coup de crosse sur la tête. Enfin, pointant son arme vers Eldride, il lui ordonna de faire glisser le corps du fauve dans la soute.

— Mets-y aussi la fille. Et ne me regarde pas comme si tu voulais me tuer ! s'énerva-t-il.

Mi-surpris, mi-amusé, il la fixa du coin de l'œil.

— Ça ne te ressemble pas… d'aimer !

Il éclata d'un grand rire sec qu'il étouffa dans une affreuse quinte de toux.

— Griffo, vous l'avez vraiment…, bredouilla Eldride, sans quitter des yeux le visage sombre et gras de Pharos.

Le vieux guerrier haussa les épaules.

— Rassure-toi, il est simplement endormi.

À contrecœur, Eldride referma la trappe sur ses amis. Son pistolaser braqué sur la tempe de la jeune fille, le pirate transpirait abondamment. La tête commençait à lui tourner. Comme il sentait venir les signes avant-coureurs d'une crise de claustrophobie, il ordonna à Eldride de ramasser les deux sacs de toile qu'il avait emportés avec lui.

— Mets-les à côté de moi.

Elle les posa là où il les voulait.

— Tu me hais, n'est-ce pas ?

Eldride songea en effet comme il lui ferait plaisir de plonger un couteau dans la panse grasse de cet homme qui lui avait volé son enfance.

— Qu'est-ce que vous transportez dans ces sacs ? questionna-t-elle.

— Ça ne te regarde pas.

Eldride jeta un regard impuissant sur les diagrammes affichés aux écrans. Storine n'avait pas eu le temps de lui expliquer grand-chose. Cependant, elle comprit que la nacelle ne se dirigeait pas sur Tyrsa, le satellite de la planète Notus 2, mais bien au-delà, au centre du système, sur la planète Phobia elle-même !

— Nous n'allons pas sur Tyrsa ?

— Je suis libre ! rétorqua Pharos. Et tu l'es, toi aussi. N'est-ce pas ce que tu souhaitais ? Quand tu étais enfant, tu répétais sans cesse que tu voulais retrouver tes parents. Je t'offre cette chance ! Phobia est une planète sauvage, le repaire des hors-la-loi de tout l'espace connu. L'atmosphère y est malsaine. On y attrape des maladies mortelles. J'ai même entendu dire que sur cette maudite planète, les orages crachent des gouttes de feu ! Je n'y resterai que le temps de trouver un appareil assez puissant pour quitter ce système solaire. Je suis riche…

— Que me proposes-tu ?

— Ne te fais aucune illusion. Les lamelles d'argon sont à moi. Mais si tu m'obéis, à deux on peut survivre.

— Qu'arrivera-t-il à Storine et à Griffo ?

— Si je t'emmène avec moi, je ne peux pas m'encombrer d'elle, ni surtout de son monstre.

Ils échangèrent un long regard complice.

— Je vais y réfléchir..., répondit finalement Eldride.

— Tu fais bien.

Pharos ne voulait pas lui dire que fuir seul le terrorisait. « D'abord, songea-t-il, atteindre Phobia le plus vite possible. » Avant son humiliation au « pacte des Braves », il avait ardemment désiré posséder la petite fille aux cheveux orange. Mais, à bien y réfléchir, il préférait encore Eldride. Tous les deux, ils étaient pareils. Alors qu'il y avait, chez cette autre gamine, un feu sauvage ou une pureté – il ne savait trop ! – qui le mettait mal à l'aise. Sur Phobia, il trouverait facilement un esclavagiste prêt à lui acheter la fille aux cheveux orange. Pour le même prix, il lui refilerait aussi le lion blanc. Ensuite, une nouvelle vie l'attendrait.

De son côté, Eldride réfléchissait à la proposition de Pharos. Le vieux pirate avait-il raison ? Était-elle faite pour aimer ? Elle n'avait jamais su. « Qu'est-ce qu'elle a fait pour moi, Storine, depuis que l'Amiral l'a adoptée ? Rien. Elle m'a laissée pourrir avec les autres esclaves. »

Faite ou pas faite pour aimer ? La liberté était enfin à portée de main. Et c'était bien la première fois de sa courte vie ! Elle jeta un coup d'œil sur les deux sacs de toile. Comment allait-elle s'y prendre pour voler l'argon et pour se débarrasser du vieux Pharos ?

Indifférente aux pensées troubles qui agitaient ses occupants, la nacelle entra en hyperpropulsion...

Lisez la suite dans le volume deux :

STORINE,
L'ORPHELINE DES ÉTOILES
II

Les marécages de l'âme

À peine arrivée sur Phobia, Storine tombe aux mains d'un dangereux trafiquant d'esclaves. Alors que la planète subit les assauts des troupes impériales, Storine et son amie Eldride s'évadent afin de retrouver Griffo. Leur objectif : Phobianapolis, la capitale, d'où elles trouveront à s'embarquer pour échapper à cet enfer.

Dans son périple à travers les montagnes obscures et les mystérieux marécages de l'âme, Storine croise un étrange garçon sur sa route. Ensemble, ils découvriront les vestiges de la cité perdue d'Éphronia où se trouve, d'après la légende, la Source de Vinor, qui révèle à chacun sa Destinée.

Mais qui est ce garçon ? Et pourquoi sa seule présence rappelle-t-elle à Storine des pans entiers de son identité perdue ?

Publication prévue :
Automne 2003

Index des personnages principaux

Astrigua : Chef des esclaves à bord du *Grand Centaure*.

Corvéus : Homme de main de Sériac, colosse idiot mais redoutable.

Eldride : Esclave, amie de Storine, adolescente.

Griffo : Jeune lion blanc, ami de Storine, sa maîtresse.

Krôm : Premier lieutenant de Marsor.

Marsor : Chef pirate redouté dans tout l'empire. On l'appelle aussi l'Amiral.

Pharos : Guerrier pirate, ancien maître d'Eldride, traître à Marsor.

Santorin : Ami de Storine, garde du parc impérial.

Sériac : Commandor de l'armée impériale à la recherche de Storine, pour une raison mystérieuse.

Spiros Cinq : Androïde du pirate Torgar, qui servira d'indicateur à Sériac.

Storine : Notre héroïne dont on ignore les origines.

Torgar : Frère d'armes de Marsor et renégat.

Urba : Majordome de Marsor le pirate.

Ysinie : Vieille esclave aveugle à bord du *Grand Centaure*.

Glossaire

Ascoria : Tradition pirate qui permet à un guerrier d'adopter un esclave ou un jeune guerrier afin d'en faire son apprenti.

Coral des femmes : Quartier des femmes esclaves à bord du *Grand Centaure*.

Ectaïr : Planète où Storine a été élevée.

Empire d'Ésotéria : Ensemble de systèmes planétaires et d'amas stellaires réunis sous un même gouvernement, et couvrant un disque d'environ trente-cinq années-lumière de diamètre.

Glortex : Force mentale télépathique des lions blancs et de quelques rares êtres humains.

***Grand Centaure* :** Vaisseau légendaire de Marsor le pirate.

Mer d'Illophème : Secteur dangereux de l'espace situé entre le système de Branaor, où gravite la planète Ectaïr, et celui de Phobia.

Microcom : Communicateur miniature fixé sur un bracelet.

Nacelle d'éjection : Canot de sauvetage spatial.

Pacte des Braves : Cérémonie au cours de laquelle un pirate renouvelle son serment de fidélité à Marsor.

Paradius : Base secrète de Marsor le pirate, située sur Tyrsa, une lune de la planète Notus 2.

Propulseur-jet : Engin de forage comportant plusieurs sièges, utilisé pour l'abordage entre vaisseaux de l'espace.

Quouandéra : Base militaire impériale creusée dans un immense astéroïde.

Sillon : (Comme les sillons d'un disque) Unité de distance. 1 sillon = 30 000 kilomètres. Dans l'espace, la lumière parcourt en une seconde une distance d'environ 10 sillons.

Système de navigation invisible : Champ de force permettant au *Grand Centaure* de naviguer sans être détecté par les radars impériaux.

Ténédrah : Symbole du dieu Vinor, utilisé pour reconnaître un adepte du dieu, pour accepter dans son cœur un nouvel ami, ou pour appeler la protection du dieu sur une personne.

TABLE DES MATIÈRES

Fredrick D'Anterny

Né à Nice, en France, Fredrick D'Anterny a vécu sa jeunesse sous le soleil de Provence. Amateur de grandes séries de dessins animés japonais, il arrive au Québec à l'âge de dix-sept ans. Peu après, pour échapper à l'ennui de ses premiers boulots d'étudiant, il crée le personnage de Storine. Dès lors, il peut s'enfuir en imagination dans les immenses espaces galactiques, aux côtés de son héroïne. Aujourd'hui, Fredrick travaille dans le monde du livre comme représentant. Il publie des livres pour adultes et écrit également des scénarios. *Storine, l'orpheline des étoiles* est son premier ouvrage pour la jeunesse.

COLLECTION CHACAL

1. *Doubles jeux,*
   de Pierre Boileau, 1997.
2. *L'œuf des dieux,*
   de Christian Martin, 1997.
3. *L'ombre du sorcier,*
   de Frédérick Durand, 1997.
4. *La fugue d'Antoine,*
   de Danielle Rochette, 1997 (finaliste au prix du Gouverneur général 1998).
5. *Le voyage insolite,*
   de Frédérick Durand, 1998.
6. *Les ailes de lumière,*
   de Jean-François Somain, 1998.
7. *Le jardin des ténèbres,*
   de Margaret Buffie, traduit de l'anglais par Martine Gagnon, 1998.
8. *La maudite,*
   de Daniel Mativat, 1999.
9. *Demain, les étoiles,*
   de Jean-Louis Trudel, 2000.

10. *L'Arbre-Roi*,
de Gaëtan Picard, 2000.

11. *Non-retour*,
de Laurent Chabin, 2000.

12. *Futurs sur mesure*,
collectif de l'AEQJ, 2000.

13. *Quand la bête s'éveille*,
de Daniel Mativat, 2001.

14. *Les messagers d'Okeanos*,
de Gilles Devindilis, 2001.

15. *Baha Mar et les Miroirs Magiques*,
de Gaëtan Picard, 2001.

16. *Un don mortel*,
de André Lebugle, 2001.

17. Storine, l'orpheline des étoiles,
volume 1 : *Le lion blanc*,
de Fredrick D'Anterny, 2002.